DANS LA MÊME COLLECTION

Disponibles chez votre libraire ou à la maison d'édition.

RECETTES DE BONHEUR POUR UN FOYER HEUREUX

Cet ouvrage a été publié sous le titre original:

POWER IDEAS FOR A HAPPY FAMILY

Original english language edition published by:
Fleming H. Revell Company
Copyright ©, 1972 by Robert H. Schuller
All rights Reserved

Copyright ©, 1980 par:
Les Éditions «Un Monde Différent» Ltée
Dépôts légaux 1er trimestre 1980
Bibliothèque Nationale du Québec
Bibliothèque Nationale du Canada

Conception graphique de la couverture:
PHILIPPE BOUVRY

Traduit de l'anglais par:
TRANS-ADAPT INC.

ISBN: 2-9200-0027-6

Robert H. Schuller

Recettes de bonheur pour un foyer heureux

Les Éditions «Un Monde Différent» Ltée
1875 Panama, Local B
Brossard, Québec, Canada
J4W 2S8

Aux milliers de familles heureuses de Garden Grove Community Church, ma constante source d'inspiration.

TABLE DES MATIÈRES

INTRODUCTION

Si vous et votre famille êtes heureux et jouissez d'une bonne santé, vous partagerez mon enthousiasme pour ce livre. Continuez-en la lecture et acclamez le foyer nord-américain.

Si vous et votre famille faites des efforts pour surmonter les pressions qui menacent de désintégrer votre mariage et votre foyer, alors vous pouvez trouver la clé du succès dans les pages qui vont suivre. J'ai conseillé des milliers de couples et des milliers de parents et je sais que des situations impossibles deviennent miraculeusement possibles grâce à une pensée qui explore les avenues du possible.

Commencez d'abord par avoir la foi dans les institutions séculaires du mariage et de la famille qui sont palpitantes d'intérêt, porteuses de fruits et assurées d'un avenir prometteur.

Bonnes nouvelles! Les experts qui ont prédit la mort de ces institutions sont dans l'erreur. La famille est ici pour demeurer. Récemment, j'entendais Margaret Mead dire: «Au cours de l'Histoire de l'humanité, tous les efforts pour faire disparaître la famille ont échoué. La famille pourra changer de forme, de style de vie, mais elle est ici pour rester».

Sans doute, les cerveaux négatifs qui essaient de qualifier la famille de dépassée, d'institution utopique, se basent souvent sur des programmes où fourmillent les préjugés.

Prenons par exemple les marxistes. Sournoisement, sans révéler leur foi communiste, ils insinuent par la parole et par la plume leurs théories perverses sur la mort de la famille. Ils affirment avec insistance que notre société a besoin d'une révolution et qu'elle l'aura. Ce qu'il nous faut, c'est une revitalisation et non une révolution.

On doit raviver la foi dans la famille et dans ses possibilités infinies de joie, de plaisir, d'amour, de sollicitude, de compassion, de courage et de foi.

Considérez aussi ces homosexuels pleins de préjugés qui conspirent contre la famille. Je lisais récemment un article négatif et dévasteur sur le mariage et la famille écrit par un antihétérosexuel au franc parler. L'honnêteté exige que de telles personnes renoncent elles-mêmes à leur droit d'être jurés en raison de leurs préjugés négatifs.

Puis il y a ceux qui ont déclaré forfait et qui essaient d'indiquer la voie. Dans plusieurs cas, ces voix antifamille et antimariage sont elles-mêmes des produits dénaturés d'un foyer brisé. Ils n'ont tout simplement jamais expérimenté les joies de la famille dans leur enfance. Lors de leur mariage, ils ont véhiculé dans leur propre foyer les erreurs d'enfance de leurs parents qui, dès le début, étaient condamnables. Et maintenant, forts d'un diplôme universitaire et d'une vie remplie de réminiscences à caractère tragique, négatif et destructeur, ils osent proclamer leurs opinions cyniques. En toute honnêteté, ils devraient admettre que leurs expériences peuvent poser des limites à leur créativité.

J'ai foi en la famille parce que je suis l'heureux rejeton d'une famille heureuse. Je suis le cadet d'une famille de cinq enfants issus de parents fermiers dans l'Iowa. Mes parents riaient, s'aimaient, se chamaillaient, mais des liens à toute épreuve les unissaient; durant leurs cinquante-cinq années de mariage, leur personnalité respective s'est enrichie jusqu'au moment de leur mort. Je suis marié à ma première et unique femme. Nous avons cinq enfants, tous désirés. Notre mariage et notre foyer respirent la santé, la force malgré le fait que nous menons une vie survoltée au sein d'une société à l'allure endiablée du Sud de la Californie.

Alors, unissez-vous à moi pour la plus grande des aventures sociales, pour le plus grand des défis, faisant de votre famille un lieu de rendez-vous où règnent la joie et le bonheur.

1

LA FAMILLE

*La plus grande
institution au monde*

Qu'est-ce qu'une famille?

C'est la plus petite unité de la société. La planète Terre est faite de continents, de nations, d'États, de communautés et de familles.

La famille, c'est une petite ville, un état miniature, une mini-nation. Sa forme de gouvernement est plus souvent qu'autrement une autocratie qu'une démocratie.

Le mari est un Roi.
L'épouse est une Reine.
Chaque fils est un Prince.
Chaque fille est une Princesse.

Au mieux c'est une forme d'autocratie volontaire. De temps à autre, le roi tient conseil pour déterminer ce qu'il y a de mieux pour tous ses sujets. Son grand coeur bat d'amour pour ses chers et loyaux concitoyens.

Voici un gouvernement où chaque citoyen a une ligne de téléphone directe avec le chef d'État. La famille est l'unique institution au sein de laquelle chaque membre peut à tout moment rejoindre son chef. Je me souviens combien je fus impressionné un jour que j'étais avec le docteur Norman Vincent Peale dans son cabinet privé à New-York. Cela se passait il y a plusieurs années, alors que son livre: *The Power of Positive Thinking* (La puissance de la pensée positive) figurait parmi les grands succès en librairie. Nous étions plongés dans une conversation sérieuse quand son secrétaire nous interrompit en disant «Excusez-moi, docteur Peale, Élisabeth est au bout du fil.»

«Oh oui», dit-il; d'un bond, il quittait son vieux fauteuil où il se reposait pour se précipiter vers le téléphone. «Oui, Liz, comment vas-tu?» Sa figure laissait voir un intérêt marqué. L'entretien au téléphone dura presque quinze minutes. De temps à autre, il se retournait de mon côté, me faisait signe de la main ou me souriait pour me rassurer qu'il reviendrait à moi. Mais toute son attention était centrée sur sa fillette de dix ans à l'autre bout de la ligne. Il écoutait. De temps en temps, il murmurait un mot ou deux, mais c'est son silence qui était le plus impressionnant. Pour moi, cela signifiait: «Voici l'un des plus grands hommes de notre époque; pour lui, sa famille est son premier amour.» À la fin, il parla. Elle s'était évidemment vidé le coeur et c'était à son tour de répondre. «Maintenant, Lizabeth, ne te tracasse pas. Ainsi tu n'as pas gagné ton élection; ce n'est pas une disgrâce pour les Peale. Je sais que tu as mené une campagne propre et chrétienne. Voilà ta chance de montrer à tous ceux que tu connais que tu sais être une bonne perdante. Ta mère et moi sommes fiers de toi, Liz. Tu es belle. On t'aime. C'est toi la plus sensationnelle.» Comme il disait cela, j'ai cru voir comme un rayon lumineux d'une rare beauté traverser le regard plein de douceur et de sagesse de mon héros, le docteur Peale.

Aussi, quand notre fille aînée quitta le foyer paternel pour un collège de l'Est, je lui dis: «Rappelle-toi ton nom, Sheila Schuller. Vis pour lui. Apporte-lui honneur et gloire. Que rien dans ta conduite ne le couvre de honte. En retour, sache que tu peux passer nous voir à n'importe quel moment et nos coeurs bondiront de joie vers le tien; quand tu feras appel à nous, nous mettrons en veilleuse nos rêves et nos projets, et tous nos espoirs se hâteront à la rencontre des tiens. Que tu sois mariée ou célibataire, tu auras toujours une ligne directe spéciale avec le bureau du président de la petite nation et, au sein de celle-ci, tu jouiras toujours des privilèges de citoyenne à part entière aussi longtemps que tu vivras.»

La famille en tant que mini-nation possède un corps diplomatique unique en son genre. Dans ce corps qui est le plus petit de tous les pays, chaque membre, de l'enfant à l'adulte, est un ambassadeur. Lors des visites en d'autres pays, en d'autres villes, dans d'autres cercles ou communautés, chaque membre, jeune ou vieux, doit se considérer comme un ambassadeur de sa famille. Dès l'enfance, on lui enseigne à bon droit à très bien se comporter quand il est loin du pays ou en compagnie d'autres personnes que celles du cercle familial.

Quand notre fille aînée, alors loin du foyer, eut à prendre une décision à portée sociale susceptible, selon elle, d'apporter d'éventuels embarras à la famille, elle entra en contact avec nous pour vérifier et s'expliquer. C'était plus qu'on pouvait s'attendre de la part d'enfants aussi jeunes qui, à cause de leur âge, créent parfois des embarras mineurs à la famille. Cela me rappelle l'époque où notre fils Robert était assis dans l'automobile en compagnie d'un invité de l'Est qui nous rendait visite, le docteur Howard Hagaman. J'étais au volant quand survint une panne d'essence. Je laissai mon fils de cinq ans dans l'auto avec le docteur Hagaman pendant que je me dirigeais vers le poste d'essence le plus rapproché. Pendant mon absence, mon invité mit la main à sa poche et en tira une cigarette. Mon fils fut scandalisé. Quelques jours auparavant, j'avais fait un lavage de son jeune cerveau en le mettant en garde contre la cigarette et je lui avais dit: «Si tu fumes des cigarettes, tu auras le cancer.»

«Qu'est-ce que le cancer?», m'avait-il demandé.

Je lui répondis: «Qu'il te suffise de savoir que c'est la pire des maladies que tu puisses possiblement imaginer.» L'affaire en resta là. À ce moment, mon fils regardait avec effroi cette fumée qui sortait de la bouche et du nez de cet homme. Le jeune ambassadeur des Schuller dit d'une façon très peu diplomatique: «Oh! vous ne devez pas faire cela, sinon vous aurez une terrible maladie!»

Le médecin, d'un air très solennel dit: «Oh! vraiment? Et quelle pourrait être cette maladie?»

Alors le petit prince réfléchit longuement et répliqua: «La diarrhée!»

En tant que nation minuscule, la famille a un système économique presque unique. Un partage volontaire de l'argent, voilà le moyen rapide et naturel qu'il faut prendre chaque fois que surgit une crise financière. Ici, un enfant malade peut recevoir sans gêne des soins illimités qui ne sont pas inscrits dans des dossiers. Le roi vendra ses biens et prendra le risque de se promener dans les rues en haillons si nécessaire pour recueillir des fonds et sauver la vie, la santé, le bien-être de l'un de ses enfants chéris.

CENTRE DE SANTÉ MENTALE

Les psychologues n'y comprennent rien aujourd'hui. Pourquoi avons-nous au sein de notre nation cet accroissement continu de problèmes mentaux? Quelle en est la cause? Et quelle en est la solution?

Une des solutions novatrices, c'est la thérapie de groupes minuscules. Grâce à cette approche, on apprend que les gens ont besoin d'une occasion de se retrouver en petits groupes pour se confier, pour parler de leurs craintes intimes, de leurs insécurités, de leur inadaptation; là, ils peuvent être honnêtes et mettre à nu devant un petit groupe d'amis intimes leur âme craintive et coupable, ils peuvent confesser le mal qu'ils ont fait et apprendre qu'ils seront pardonnés.

Voici donc ce dont on a besoin: une thérapie de petits groupes où vous pouvez mettre votre âme à nu, où en retour les gens peuvent être vrais avec vous, être brusques avec vous et vous dire en toute honnêteté ce que personne n'ose vous révéler. Cependant, il faut le faire avec une certaine affection qui donne au plus coupable des membres l'assurance qu'il ne sera jamais abandonné et rejeté. On l'acceptera, même s'il apparaît sous son plus mauvais jour.

Pourquoi avons-nous besoin de petits groupes? Ce que nous essayons de faire, c'est de créer des familles. Une famille, c'est le petit groupe primitif où l'on partage. Parce que la famille se dérobe à sa tâche, on essaie de créer au sein de notre communauté d'autres groupes qu'on appelle petites familles.

Qu'est-ce qu'une famille? Une famille, ce sont quelques personnes, deux, trois, quatre ou plus, réunies en un endroit pour former une petite communauté; là, on s'intéresse à l'autre, on partage, on se supporte, on se confie et on ose. Dans ce petit groupe, les membres sont durs, parfois presque cruels les uns envers les autres; cependant, ils s'aiment profondément. Existe-t-il un autre mode de structure sociale où vous pouvez dire à la face des gens ce que vous pensez et savez d'eux, dans un échange amical, dans le but de s'entraider? Placez-vous au sein d'un groupe social plus vaste et les gens ne sont pas francs avec vous. Nous sommes tous assez intelligents pour être diplomates. On nous enseigne à tous à être pleins de délicatesse. Nous pratiquons les règles élémentaires pour nous faire des amis et pour avoir de l'influence sur les gens. Nous devons le faire. Il y a des quantités de gens qui manquent tellement de maturité, qui sont tellement irascibles et susceptibles que vous ne pourriez pas être franc avec eux. Ils se mettraient en colère, s'en iraient et vous ne pourriez jamais les revoir.

Pourquoi les gens atteignent-ils l'âge adulte en prise avec toutes sortes de conflits mentaux? Bon nombre de nos maladies mentales en Amérique apparaissent chez les gens qui n'ont jamais appris à accepter la critique, la discipline, parce qu'ils ont grandi au sein de familles indisciplinées. Une fois en face d'un monde qui cogne dur, d'un monde brutal et coriace, ils n'ont pas été capables de tenir le coup. Encore enfants, ils ont entendu leurs parents se disputer, se quereller, fuir leurs responsabilités et divorcer à la première occasion. Ainsi cet enfant en pleine croissance a-t-il appris une leçon de défaitisme: face à un problème, il prenait la fuite! Pour cette raison, plusieurs parents se remarient après un premier divorce et cette fois demeurent mariés. Ils ont encore des disputes, mais dans cette famille mûrie par l'expérience, ils donnent la preuve d'un profond engagement de groupe.

Vous savez que la famille est un cénacle qui vous ouvrira quand vous reviendrez frapper à sa porte et qu'elle vous aimera encore même si on a appris de vilaines choses sur vous ou si on en a été témoin.

Voilà l'unique groupe qui vous accueillera quand tout le monde vous rejettera.

Voilà l'unique cénacle qui s'intéressera assez à vous pour verser des pleurs sur vos maux alors qu'aucun autre n'aura de pensée pour vous.

L'AMÉLIORATION DE VOTRE FAMILLE

Comment faire de votre famille la plus grande institution au monde?

1. Engagez-vous dans un don total à poursuivre l'idéal de rendre votre famille forte, aimante et très belle.

Le succès vient quand vous vous donnez un but à atteindre et que vous faites de cet objectif la chose la plus importante de votre vie.

Si de tout votre coeur vous voulez, plus que tout au monde, faire de votre famille une grande famille, vous y arriverez.

2. Suivez les gagnants, évitez les perdants.

Écoutez ceux qui ont réussi et qui réussissent encore. Ne prêtez pas attention aux ratés. Que celui qui réussit vous montre la voie. N'écoutez pas les conseils négatifs de ceux qui n'ont pas réussi. Écoutez les gagnants et que les champions vous inspirent. Il y a des millions de familles qui sont de fortes et solides forteresses de foi, d'espérance et d'amour. Écoutez ces modèles que sont le docteur Norman et madame Ruth Peale, le docteur Billy et madame Ruth Graham. Vous vous rendrez compte, à quelques rares exceptions près, que les familles gagnantes sont des familles qui lisent la Bible, qui prient et qui pratiquent une religion, source de vie. Les foyers qui réussissent sont imbus de *l'esprit* de Dieu.

3. Dressez la liste de ce qui vous semble raisonnable d'attendre de la vie.

Ne vous attendez pas à ce que votre famille soit le ciel sur la terre. Ne vous attendez pas à la paix et à l'harmonie perpétuelles. Attendez-vous à des conflits; cela ne veut pas dire que votre famille est malade, c'est plutôt un signe que vous êtes tous en croissance. C'est un signe de croissance et un indice de changement.

Dans son livre *Easy to Live With* (Il est facile de vivre ensemble), le docteur Leslie Parrott lance un appel qui est un défi pour le réajustement.

C'est une utopie que de rêver d'un foyer *idéal* où tout marche sur des roulettes, où il n'y a jamais de paroles vives, où on ne soulève jamais de problèmes. S'il existe, c'est que quelqu'un cache quelque chose.

En effet, beaucoup de gens oublient qu'une des fonctions principales de la famille, c'est de fournir un cadre où les membres peuvent se laisser aller, où ils peuvent ouvrir la soupape de sécurité qui dissipera les tensions accumulées à l'école ou au travail. Si les relations au foyer sont fragiles à ce point qu'on ne peut tolérer une expression spontanée de relaxation, alors les bases de la famille sont faussées. Le foyer est l'endroit où l'on peut s'exprimer franchement sans crainte de représailles parce qu'on se connaît, on se comprend les uns les autres dans l'amour.

Aussi, beaucoup de gens oublient-ils que vivre ensemble les uns près des autres pendant une longue période de temps peut être très exaspérant. Lors de la première expédition de l'amiral Byrd au pôle Sud, un des participants a raconté les difficultés qu'ont eues douze hommes à vivre ensemble dans des quartiers extrêmement étroits durant les six mois que dure la longue nuit hivernale. Ils apprirent les particularités de chacun. Ils apprirent comment les autres compagnons laçaient leurs souliers, comment ils se raclaient la gorge ou fredonnaient de vieux refrains. Ils apprirent à se connaître si bien les uns les autres que leurs étroits quartiers les amenèrent au bord du désespoir et de la folie. Quelques années plus tard, les liens d'amitié subsistaient intégralement, mais durant les longs mois d'une trop étroite cohabitation, les hommes étaient devenus irritables et exaspérés.

4. Prenez la décision audacieuse de faire de votre famille une entité moralement distincte.

Le Mexique a des lois différentes du Canada. Notre famille a des règlements qui nous rendent différents des autres familles du quartier. Par exemple, nous avons toujours eu un règlement qui défend à nos enfants de jouer avec les autres enfants de notre rue le dimanche. Ce jour unique de la semaine est réservé à l'église et à la famille seulement. Nous avons des règlements sévères pour la télévision. On ne permet pas les spectacles dépeignant la violence. L'émission est-elle source d'inspiration, d'amusement ou d'élévation morale?

Sinon c'est au mieux une perte de temps et, au pis, une influence destructive. Nous ne permettons pas dans nos maisons de musique forte et discordante. Nous avons l'impression, qu'au moins dans notre foyer, elle engendre des vibrations qui ne sont pas de nature à créer un climat propice à notre santé émotive.

5. Apprenez à poser les vraies questions.

Quand surgit un conflit, comme c'est normal à tous les deux ou trois mois, ne vous laissez pas aller à une pensée défaitiste: «J'en ai assez. Ça ne sert à rien. J'abandonne.»

Ne pointez pas du doigt non plus, n'accusez pas, ne condamnez pas. Posez-vous plutôt les vraies questions. Le docteur Robert Merkel, responsable du centre de consultation dans notre église dit: «Tout problème auquel nous avons à faire face ici provient du fait que les gens ne posent pas de questions ou ne posent pas les *bonnes questions.*»

Posez-vous ces *bonnes questions:*

Pourquoi cela arrive-t-il?
Comment ai-je contribué à ce problème?
Notre religion est-elle vivante et source de vie?

L'amour ne suffit pas. Il faut se comprendre.

Dans le film éducatif *The Angry Boy,* le jeune garçon qui avait le coeur rempli d'amertume et de ressentiment découvrit finalement un ami dans le conseiller qui prêta attention à son interprétation du sens de la vie. Parlant avec sa mère de ses nouveaux rapports avec son conseiller, le garçon dit: «Le docteur Clark m'aime.»

«Oh», répondit vivement la mère, «moi aussi je t'aime beaucoup!»

«Mais», dit le garçon, tournant les yeux vers le sol, «il me comprend, lui!»

6. Vérifiez le cadran qui contrôle votre climat mental et assurez-vous qu'il indique *positif*.

Il y a deux réglages sur votre cadran: *négatif et positif*. Vous savez que votre thermostat est réglé à frais, car vous sentez l'air frais et vous avez froid. S'il est réglé à chaud, vous sentirez l'air chaud envahir la pièce.

Si le climat mental de votre famille indique négatif, il y aura des récriminations au lieu des louanges; il y aura du ressentiment au lieu de la gratitude.

Le docteur Leslie Parrott écrit dans *Easy to Live With:*

Il y a quelques années, un professeur de l'Université de Pennsylvanie effectua une étude sur les conversations tenues à table à l'occasion du dîner; pour ce faire, il avait caché des microphones dans deux cents différentes maisons pour enregistrer les conversations à table lors du dîner. Quand il eut toutes les données en main, il divisa les conversations en cinq catégories. *Dans quelques maisons, dit-il, on ne parle que par monosyllabes pour demander ce que l'on veut. La famille prend place à table comme s'il s'agissait d'un arrêt pour faire le plein. Comme beaucoup de propriétaires d'automobiles, les membres de cette famille ne se préoccupent que de prendre leur propre carburant, ignorant autant que possible les préposés et les autres personnes qui, elles aussi, tentent de faire le plein au même poste. Les monosyllabes les plus employés dans ces conversations sont:* **encore, oui, du sel, du poivre, s'il vous plaît, merci.** *Puis ils quittent aussitôt la table. Ces gens ne se disputent pas entre eux; ils s'ignorent tout simplement. Ils se comportent comme si personne d'autre n'existait à part eux.*

Dans certaines maisons (c'est la deuxième catégorie), la conversation est centrée sur le mal découvert chez les membres de la famille. S'il existe des problèmes d'ordre disciplinaire à régler, c'est à table qu'on les règle à l'occasion du dîner, à la vue de tous. On se permet de critiquer la nourriture et le manque de savoir-vivre est étalé devant tous. Ce genre de conver-

sation qui se poursuit autour de cette table vise principalement à se piquer les uns les autres et à enfoncer des traits acérés susceptibles de faire mal longtemps après que le repas sera oublié. Autour de cette table, la tension monte, souvent concentrée sur le même individu qui, à la fin, n'en pouvant plus, se lève, souvent les larmes aux yeux et se retire en claquant la porte.

Puis, ajouta-t-il, il y a ceux qui ont tendance à centrer leurs conversations sur les maux de ceux qui sont étrangers à leur famille. Les vieux brandons de discorde que la famille avait ressassés avec persistance dans le passé refont surface sous une forme nouvelle. Des membres de la famille trouvent des défauts aux enfants du voisin, à tous ceux avec qui ils travaillent, à l'église qu'ils fréquentent. Dans ce type de famille, le père et la mère ne sont pas prêts à accepter qu'il y ait des problèmes et des imperfections chez les leurs. Plutôt que d'admettre leurs propres défauts, ils avaient comme ligne de conduite de chercher ces manquements chez les autres. Ce doit être de leur faute si vous n'aimez pas Bach ou Beethoven. Lancer des flèches cinglantes à tous ceux qui vous font sentir vos défauts ne peut que servir à consolider vos sentiments de pharisaïsme. Bientôt vous finirez par croire que vous êtes meilleur que n'importe qui d'autre. Critiquer les autres pour des défauts qui sont vôtres vous amène à oublier vos douloureuses faiblesses.

Peu de familles tombent dans la quatrième catégorie où les conversations se limitent aux aspects positifs des gens et des choses. Il y en a même un nombre plus restreint dans la cinquième catégorie où les gens profitent de cette période du dîner pour en faire un forum sur les événements politiques et sociaux au lieu de discuter personnalités et faits divers.

7. Vérifier votre cellule d'influence.

Chaque institution a une cellule d'influence. La cellule vitale de la société, c'est la famille. La nation suit le rythme de la famille. La cellule influente du centre commercial, c'est le grand magasin; s'il fait faillite, tout le centre commercial pliera bagages. Dans chaque église, vous trouverez une cellule d'influence. C'est peut-être le conseil d'administration ou l'équipe des clercs ou encore un groupe de personnes dynamiques ou progressistes sans cadre connu qui ont une pensée commune et qui poussent les choses de l'avant. Là où il n'y a pas une autorité centrale forte et sûre, il y aura un jour désintégration.

Songez aux universités qui ont été plongées dans une quasi-révolution à cause de confusion au coeur de la cellule influente.

Les étudiants veulent diriger l'école.
Les facultés veulent diriger l'école.
Les commissaires veulent diriger l'école.
Les universitaires veulent diriger l'école.
Les administrateurs veulent diriger l'école.

LA CELLULE D'INFLUENCE

Voyez la confusion qui existe dans plusieurs familles pour déterminer une cellule influente.

Les gens de la rue veulent diriger la famille.
Les écoles veulent diriger la famille.
La société veut diriger la famille.
Les enfants veulent diriger la famille.
Les parents veulent diriger la famille.

Qui devrait diriger la famille? Il faut répondre sans hésitation: Jésus-Christ qui opère dans les coeurs et les esprits des parents.

Alors, parents, c'est vraiment maintenant qu'il faut agir.

Prenez la décision de vous tourner vers Jésus-Christ. Mettez Dieu au coeur de votre vie. Vivez votre foi dans la joie et l'enthousiasme. Puis prenez en main les rênes de la famille et faites-en la plus grande institution au monde.

2

LE MARIAGE

*Dix principes pour
bâtir un mariage heureux*

Votre problème le plus important en ce moment c'est de croire, de vraiment croire que c'est possible.

C'est surtout vrai si vous êtes enchaîné par les liens d'un mariage hermétique ou si vous êtes divorcé d'avec un misérable conjoint après une union désastreuse. Avant de continuer votre lecture, revenez au point de départ. Entraînez-vous à avoir une pensée positive. Détrônez ces pensées cyniques qui règnent en tyran sur vos conceptions morbides du mariage. En entretenant des pensées cyniques, amères, négatives, des pensées d'impossibilité, vous récolterez une moisson d'aigreur, de rejet glacial sur la route de votre avenir solitaire.

Si vous plantez des chardons, vous ne pouvez pas vous attendre à récolter des raisins. Si vous cultivez l'impossible, vous ne pouvez pas vous attendre à récolter le possible.

Lancez-vous donc dans un changement radical, appliquez-vous à ne plus penser négativement mais positivement. Vous avez le pouvoir de changer votre état d'esprit. Faites-le *maintenant*. Voici comment: laissez Dieu vous parler lorsqu'*il* vous assure qu'il a pour vous une *nouvelle* vie, un *nouvel* avenir et une *nouvelle* chance de bonheur.

«Si donc quelqu'un est dans le Christ, c'est une création nouvelle; l'être ancien a disparu, un être nouveau est là. (2 Cor. 5:17)

Je suis certain que le conseil que je vous donne dans ce chapitre vous aidera si vous en tenez compte, car je l'ai appliqué avec ma femme pendant plus de vingt ans. Mettez ces principes en pratique et prenez plaisir à être marié.

1. ATTENTION À VOS MANIÈRES

La première règle pour s'entendre avec quelqu'un, c'est la courtoisie. C'est étonnant comme nous avons une tendance naturelle à être poli quand nous sommes en public alors que nous avons une inclination très marquée à oublier nos manières dès que nous fermons la porte de notre foyer derrière nous pour rejoindre le cercle familial.

Le sens commun devrait nous dicter de nous montrer plus affectueux avec les gens dont l'amitié et la bonté nous sont d'une grande importance. En conséquence, si nous voulons être logiques avec nous-mêmes, nous devrions nous montrer sous notre meilleur jour dans nos foyers et paraître à notre pire aux yeux des gens avec qui nous ne sommes pas appelés à vivre en contact continu; malheureusement, tel est rarement le cas.

Faire attention à ses manières, cela veut dire s'occuper de choses simples comme la propreté du corps, du langage et des vêtements. Cela signifie courtoisie, respect, sollicitude. C'est un mari qui continue d'ouvrir la porte de la voiture à sa femme après plusieurs années de mariage. C'est un homme qui marche côte à côte avec sa femme lorsqu'ils vont au magasin au lieu de la précéder de trois ou quatre pas. C'est un mari qui a le souci d'offrir à sa femme de s'occuper lui-même de plusieurs des petits soins ménagers pour qu'elle ne soit pas obligée de le faire seule.

Il est de première importance de découvrir chez votre compagnon de vie *les zônes de susceptibilité.* Certaines choses pourraient l'offenser que vous ne pourriez jamais soupçonner. Chacun a ses petits sujets de récrimination. Quant à moi, c'était quand ma femme négligeait de fermer son tube de pâte dentifrice, les premières semaines après notre mariage.

Maris, découvrez ce qui, dans votre vie, ennuie le plus votre épouse. Épouses, découvrez ce qui dans votre vie ennuie le plus votre époux.

Il est très probable que vous ne vous rendiez pas compte de ce qui blesse le plus votre conjoint dans votre comportement. Récemment, j'ai joué le jeu du mariage avec ma femme. Je lui demandai quelle habitude ou quel comportement dans ma vie lui était le plus désagréable. J'étais sûr de connaître sa réponse. Je m'attendais à ce qu'elle mentionne à peu près trois facteurs négatifs dans ma vie. Au contraire, elle nomma quelque chose que je n'aurais jamais cru susceptible de l'ennuyer. Nous avons repris le jeu en sens inverse; elle n'aurait jamais pu soupçonner quelles qualités de sa vie avaient le plus le pouvoir de me taper sur les nerfs.

C'est probablement dû au fait qu'en réalité nous ne nous connaissons jamais aussi bien que les autres nous connaissent. Jouez le jeu. Découvrez dans votre vie ce qui est le plus désagréable à votre conjoint. Puis, par tous les moyens, servez-vous de votre tête et sachez que le bon sens et les bonnes manières vont vous indiquer de corriger ou neutraliser ce défaut promptement et de façon permanente.

Il s'agit peut-être d'une simple petite habitude. Mais rappelez-vous que ce sont les petits riens que nous faisons et les paroles de peu d'importance que nous prononçons qui édifient ou ternissent la beauté de nos journées ordinaires.

2. N'ARRÊTEZ JAMAIS DE FAIRE LA COUR.

Qu'est-ce que faire la cour si ce n'est de communiquer en profondeur? S'il y a une cause majeure au bris du mariage, c'est bien la rupture des communications.

«Je te l'avais dit», dit-il.
«Ce n'est pas vrai», répliqua-t-elle.
«Oui, je te l'avais dit», prétendit-il.
«Je jure que tu ne m'as jamais rien dit de tel», contesta-t-elle avec vigueur.

De nos jours, le problème du manque de communications est plus aigu que jamais auparavant. Je dois avouer que probablement une douzaine de fois par année, ma femme et moi avons une conversation qui n'est pas différente de celle énoncée dans le paragraphe précédent. Le problème, c'est que nous vivons à l'époque du téléphone, de la radio, des sonnettes, des livraisons spéciales, des télégrammes, du courrier quotidien, des journaux et de la télévision. En résumé, il y a des milliers d'idées qui bombardent notre cerveau au cours d'une journée; il n'est donc pas étonnant que nous oubliions de communiquer avec notre conjoint.

Aussi nous nous réservons un soir par semaine pour sortir seuls ensemble. Nous réservons cette soirée pour sortir et pour manger en un endroit paisible où nous pouvons tenir une *réunion du personnel*. Nous mettons au point le calendrier du reste de la semaine. Elle vérifie mon programme et moi le sien et ensemble nous vérifions le programme des enfants. En même temps, dans un décor romantique et charmant qui invite à l'abandon, nous passons quelques heures dans un climat où nous pouvons laisser nos coeurs facilement s'épancher en toute franchise, où nous pouvons aussi révéler nos sentiments les plus intimes. Résultat: nos coeurs et nos esprits vibrent à l'unisson durant une autre semaine. Nous avons besoin de cette rencontre hebdomadaire comme nous avons besoin du culte religieux chaque semaine. Bien plus, cela nous permet de vivre sur un plan d'amitié très intime.

> Quelqu'un m'a demandé
> De lui indiquer le moment
> Où notre amitié cessa
> Pour faire place à l'amour.
>
> Oh, ma chérie
> Voici le secret
> Notre amitié
> N'a jamais cessé
>
> —Lois Wyse

3. SOYEZ MAÎTRE DE L'ARGENT OU L'ARGENT SERA MAÎTRE DE VOUS.

Apprenez à vous servir de l'argent et vous éliminerez une des principales causes des problèmes matrimoniaux. Trop d'unions sont rompues parce que la fin et le but de la vie c'est le tout-puissant dollar. Si l'argent devient une fin en elle-même, vous pouvez être sûr qu'il se produira un renversement de l'échelle des valeurs qui ne pourra que créer de vrais problèmes.

C'est encore vrai que *les meilleures choses dans la vie sont gratuites.* Ces expériences qui vous donnent la plus profonde satisfaction, l'amour le plus intime, ne coûtent pas un sou.

Puisque nous avons besoin d'argent pour vivre, et puisque l'argent est très précieux pour améliorer nos vies, il importe de savoir l'utiliser.

Il est très important que maris et femmes n'engagent jamais tous leurs gains dans des paiements mensuels à moins d'avoir une certaine réserve pour les cas d'urgence. Si le mari et la femme travaillent tous les deux, qu'ils ne fassent pas l'erreur d'engager tout ce qu'ils gagnent dans les paiements mensuels. Du moins, qu'ils n'engagent pas les gains de l'épouse dans des mensualités à long terme à moins que ces paiements mensuels ne dépassent pas neuf mois.

Soyez maître de l'argent, ou l'argent sera maître de vous. Voici un moyen simple, facile à retenir: quand vous avez touché de l'argent, mettez dix pour cent de côté dans un programme quelconque d'épargne. Donnez un autre dix pour cent au Christ et à votre église. Ce sera épatant pour vous deux. Par l'épargne, vous développez chez vous le sens de l'auto-discipline dans une expérience qui forme le caractère. En donnant régulièrement dix pour cent à l'église, vous vous attaquerez à l'égoïsme puissant qu'on retrouve à la source de toutes nos disputes et de tout problème humain. Mettez de côté dix pour cent pour l'épargne, donnez dix pour cent au Seigneur et à ses oeuvres dans le monde, puis vivez avec le quatre-vingts pour cent qui reste. Si vous ne pouvez pas vivre avec ce quatre-vingts pour cent vous vivez au-delà de vos moyens.

4. DONNEZ-VOUS EN À COEUR JOIE

Maintenant que vous êtes marié devant Dieu et devant les hommes, donnez libre cours à vos intimités conjugales. Laissez-vous aller. Qu'aucun sentiment de honte, de culpabilité, de confusion intime, de gêne ne mettent des entraves à toutes les joies du mariage.

Voici votre chance de devenir un être complet. En effet, en créant l'homme, Dieu lui a donné un organisme tel qu'il ne peut être complet aussi longtemps qu'il ne se fond pas dans un autre.

La vraie joie, les délices et le plaisir du sexe, c'est de se sentir une personne complète, entière. Une plante n'est pas complète tant qu'elle n'a pas pris racine et qu'elle n'a pas profité dans le sol. Une plante déracinée n'est pas une vraie plante car elle ne peut ni ne pourra croître.

Il n'y a absolument rien de mal à prendre plaisir au sexe. Vous êtes marié maintenant, savourez votre bonheur. Laissez-vous aller, vous avez le droit de vous en donner à coeur joie.

Sachez que le moyen de savourer votre bonheur ne consiste jamais à rechercher votre satisfaction mais plutôt celle de quelqu'un d'autre. Le bonheur se présente toujours sous la forme d'un sous-produit. Si vous partez avec l'idée de rechercher le plaisir pour vous-même, vous allez vous engager dans toutes sortes de frustrations. Vivez pour apporter satisfaction, joie et plaisir à votre conjoint; vous goûterez alors un sentiment merveilleux de bonheur, celui d'avoir apporté une vraie joie à la merveilleuse personne que vous aimez.

5. SOYEZ PRÊT À VIVRE L'AVENTURE DE DÉCOUVRIR DE NOUVEAUX AMIS.

Même sur le plan de l'amitié, plus d'une fiancée ne peut tolérer à son mariage la présence du meilleur ami de son mari. Plus d'un fiancé avouera tout simplement ne pas pouvoir supporter, même à titre d'amie intime, la fille d'honneur de sa femme.

Donc si un mari se rend compte qu'un de ses vieux amis ne plaît pas à sa femme (et vice-versa), il n'a pas à se demander ce qu'il doit faire, il n'a qu'à rompre cette vieille amitié. «Au revoir, mon vieux, ça m'a fait bien plaisir de te connaître.» Telle doit être l'attitude d'un mari face à un compagnon qu'il avait connu à l'école secondaire ou au collège, mais qui maintenant ne convient pas dans sa vie conjugale. C'est ensemble que mari et femme devront se bâtir de nouvelles amitiés.

Découvrir de nouveaux amis, c'est très passionnant. La plupart des églises ont des clubs de jeunes mariés et de couples. Dans ces groupes sociaux, vous pouvez découvrir de nouveaux amis que tous les deux vous apprécierez mutuellement.

Choisissez le nouveau genre d'amis que vous aimeriez inviter dans votre foyer; choisissez-en qui vont sans conteste renforcer votre mariage et votre amour.

Nous savons tous que si un adolescent adhère à un bon groupe, il peut devenir une merveilleuse personne. Mais si au contraire, il adhère à un mauvais groupe, il peut vraiment se retrouver en difficultés. Ce principe social ne change pas avec les années. Un jeune couple marié peut se joindre à un bon groupe et tout ira pour le mieux; il peut aussi se joindre à un mauvais groupe et les choses vont se gâter rapidement.

6. FAITES DES RÈGLEMENTS POUR LES BEAUX-PARENTS.

Toute corporation doit établir des règlements. C'est une des premières choses qu'une nouvelle institution doit faire. Unis par les liens du mariage, vous formez une corporation: il vous faut donc des règlements pour les beaux-parents.

Voici quelques-unes des choses importantes que ces règlements pourraient comporter. (1) Dans ma

vie, aucun beau-parent n'a priorité sur mon conjoint. Nous ne permettrons jamais à l'un des beaux-
parents de s'interposer entre nous. Notre amour et
notre loyauté réciproques passent au premier plan.
Quand le père et la mère conduisent la fiancée à
l'autel, il se passe quelque chose de très significatif.
Ce geste veut dire que le père et la mère reconnais-
sent que désormais ils n'ont plus la première place
dans la vie de leur fille. Il signifie aussi que maintenant, c'est le mari qui a la première place dans la
vie de leur fille. Il se produit un changement
d'autorité et un changement d'influence prioritaire.
Les beaux-parents peuvent passer en second ou en
troisième, mais jamais en premier.

Un second règlement pour beaux-parents pourrait s'énoncer comme suit: (2) Ne prêtez jamais
l'oreille à quelque commentaire négatif ou destruc-
tif que ce soit de votre famille ou de votre parenté
sur votre conjoint. Si des membres de votre parenté
se permettent des commentaires négatifs, critiques
ou non constructifs sur votre conjoint, rejetez immédiatement ces pensées. Refusez d'écouter.
Changez le sujet de la conversation. Quittez les
lieux si vous ne voulez pas que ces idées deviennent
des dards empoisonnés susceptibles d'infecter votre
esprit de négativisme et de se transformer en poison
dangereux pour votre mariage. Mari ou femme, si
votre mère, subtilement ou de façon déguisée,
glissait des remarques négatives sur votre conjoint,
ne l'écoutez pas!

7. RAPPELEZ-VOUS QU'ON NE TROUVE PAS LE BONHEUR DANS DES BOUTEILLES, DES BOÎTES OU DES SACS.

Il n'y a peut-être pas de problèmes plus répandus dans le mariage que celui de l'alcoolisme. Aujourd'hui, les boîtes et les sacs de narcotiques font aussi leur apparition. L'alcoolisme, sous une forme ou sous une autre, se révèle un facteur important dans presque tous les problèmes matrimoniaux d'aujourd'hui. Un grand nombre de ces redoutables problèmes sont embouteillés dans de très jolis flacons.

Si, aujourd'hui, vous êtes sur le point de vous marier et que vous n'avez pas encore commencé à trinquer, rappelez-vous bien que vous n'avez pas à boire pour être sociable. Vous n'avez pas à boire par complaisance pour avoir du succès, être heureux, populaire dans le monde d'aujourd'hui. Un bon nombre de religions s'opposent au verre de l'amitié. De même en est-il de nombreux groupes religieux. Il arrive souvent qu'une très haute personnalité refuse très poliment un verre. C'est un fait qu'au moment de prendre son premier cocktail, aucun alcoolique n'avait l'intention de devenir un indomptable buveur. Devant la croissance des problèmes d'alcoolisme, l'idée de l'abstinence volontaire obtient du succès et se répand aujourd'hui à travers le pays. On découvre que la cure la plus sûre et la moins chère, c'est la prévention. La précaution la plus élémentaire contre le problème de l'alcoolisme, c'est l'abstinence volontaire. C'est si simple.

C'est la même histoire que l'on raconte sans cesse lors de nos consultations matrimoniales. Trois couples ou deux couples passaient régulièrement ensemble une merveilleuse soirée et tout continuait de bien aller durant des semaines, des mois, des années. Puis vint ce petit verre de l'amitié. Un mari et la femme d'un autre prirent un verre de trop et il s'établit un flirt entre eux. La fête terminée, des sentiments de jalousie, de ressentiment et d'hostilité apparurent entre les conjoints. Ce fut le début d'une détérioration de leur mariage qui allait s'avérer incurable; tout avait commencé avec ce verre de l'amitié qui semblait tellement inoffensif.

Joignez les rangs des gens intelligents. Soyez un abstinent heureux, populaire, rieur, semeur de joie. Alors vous pouvez être sûr de ne jamais faire de vous un soûlard. Souvenez-vous qu'on ne trouve pas le bonheur dans des flacons.

8. SOYEZ DE PLUS EN PLUS UNIS AU FIL DES ANS.

Vivez toujours dans l'intimité. N'ayez pas de secrets l'un pour l'autre. En toute honnêteté, partagez vos craintes, vos espoirs et vos rêves. Que le soleil ne se couche jamais sur un désaccord. Parlez-en et réglez ce problème avant de vous endormir. Il vous faut vivre à coeur ouvert, sinon vous aurez des prises de bec.

Soyez sûrs d'être tous les deux authentiquement humains. Il y a trois catégories de personnes. La *personne égocentrique* est tournée vers elle-même, égoïste, n'ayant d'intérêt que pour les idées, les offres et les opinions qui lui apportent de la satisfaction. Il n'y a pas de place pour une personne vraiment égoïste dans un mariage durable. La *personne matérialiste* est celle qui s'accomplit principalement dans les choses. Faire des achats, courir les magasins, décorer, adorer des choses, c'est ce qui donne un sens à sa vie, un but, du plaisir et de la sécurité. La *personne altruiste,* tournée vers l'autre est celle qui trouve l'accomplissement de sa vie émotive dans ses relations avec les gens. Pour elle, le plaisir, le but, le sens de la vie, c'est de partager de façon enthousiaste ses expériences avec les gens. Être authentiquement humain, c'est ça. Quand le Christ vit dans une personne, cette personne devient sensible aux autres.

Si vous voulez être une *personne tournée vers l'autre,* vous serez capable avec les années de devenir plus intime avec votre conjoint.

Engagez-vous pour toujours. Trop de couples se marient pour un temps, pour expérimenter, pour une période d'essai. Il n'est pas surprenant qu'avec une pareille attitude, ils permettent à des sentiments négatifs de leur faire gravir peu à peu le sentier des problèmes difficiles et pénibles qui conduisent au divorce.

Qu'il y ait des priorités dans vos échelles de valeurs. Dans un mariage, deux personnes distinctes apportent en se mariant deux groupes distincts de valeurs. Chacun devrait en dresser la liste écrite, les évaluer selon leur importance et en arriver à un accord. Je recommande l'échelle des valeurs suivante.

(1) LA RELIGION doit passer en premier lieu. Là où il en est ainsi, vous voyez des mariages durer plus longtemps que lorsque la religion est laissée de côté. Si votre mariage en est un de religions mixtes, voyez à vous concentrer sur les composantes de votre foi que vous pouvez accepter tous les deux. Découvrez Dieu et donnez-lui la première place.

(2) En second lieu, LE CONTRAT DE MARIAGE. Vous mettez par écrit ce que vous avez décidé de faire sous l'oeil de Dieu. Évidemment, les deux conjoints doivent être d'accord.

(3) En troisième lieu, LES ENFANTS. Si une épouse fait passer ses enfants avant son mari, elle recherche vraiment des ennuis dans son mariage. Rappelez-vous que la première et la plus importante chose à faire pour vos enfants, c'est de leur donner une forte équipe parentale. Placez les enfants en premier lieu et quand ils quitteront le foyer, votre mari le quittera aussi.

Maintenant agissez. Faites la liste de vos valeurs et déterminez-en les priorités.

Donnez, cédez, pardonnez et ne gardez pas rancune! Et vous resterez unis au fil des ans. Rappelez-vous, le mariage n'est pas une affaire 50-50, c'est un marché à 60-40.

Le mari doit prendre l'attitude suivante: «Je dois céder dans 60 pour cent des cas, elle doit céder dans 40 pour cent.»

Et voici quelle doit être l'attitude de la femme: «Je dois céder dans 60 pour cent des cas et mon époux dans 40 pour cent.»

Aussi longtemps que cette attitude prévaudra, vous éviterez la confrontration et au contraire vous ferez l'expérience de la complémentarité. Rappelez-vous, donnez, cédez, pardonnez et ne gardez pas rancune.

9. SOYEZ FIDÈLE À VOS ENGAGEMENTS ET VIVEZ HEUREUX

Le contraire est aussi vrai; abusez de la confiance et vous détruisez tout. J'ai dans mon bureau une vieille cruche presque sans valeur que j'ai achetée à Hébron. Je la transportais dans mon sac de voyage, mêlée à quelques roches que j'avais ramassées en Terre Sainte. La courroie se brisa, le sac tomba et la cruche se rompit sur les roches. J'allais m'en défaire quand je décidai d'essayer de la réparer. Ainsi, je collai les morceaux ensemble et je l'ai encore, mais les cicatrices et les fêlures me rappellent qu'elle a été endommagée. Quelqu'un a dit: «C'est plus facile d'envoyer un homme sur la lune que de recoller la coquille d'un oeuf brisé.»

Maris, épouses, n'abusez jamais de la confiance de votre conjoint. Si oui, il sera peut-être possible de réparer les dommages, mais les cicatrices et les fêlures paraîtront. Abusez de cette confiance et vous ferez naître le doute. Le docteur Norman Vincent Peale écrivit un jour: «Le doute est l'activité mentale la plus sujette à caution.» Et j'ajouterais que c'est la forme d'activité mentale qu'il est presque impossible de déraciner une fois qu'elle a étendu ses tentacules dans l'esprit de quelqu'un.

Nous entendons tous les jours une histoire qui commence comme celle-ci. Simple flirt au début, un cocktail, un ami de bureau et finalement un sentiment amoureux qui se développe et puis c'est l'aventure. C'est ainsi que l'infidélité s'infiltre furtivement dans le ménage. Trahir une confiance aveugle, c'est ce qui peut arriver de pire dans un mariage.

Brisez la confiance et vous détruisez tout. Il n'y a plus de communication possible. *Vous ne pouvez pas vous excuser auprès d'une personne qui n'a plus confiance en vous.* Elle mettra en doute votre sincérité. *Vos gémissements et vos larmes n'ont aucune valeur auprès de quelqu'un qui n'a pas confiance en vous.* On pensera que vous êtes assez habile pour pleurer au bon moment. Abusez de la confiance et vous perdez tout. Gardez la confiance intègre et alors vous pouvez engager le dialogue, faire des compromis, vous montrer coopératif et, donnant donnant, surmonter presque tous les problèmes.

10. SOYEZ FIDÈLE À L'AMOUR ET TOUT IRA TOUJOURS BIEN POUR VOUS

Rappelez-vous les trois niveaux de l'amour. (1) Je te désire, donc je t'aime. C'est le plus bas niveau de l'amour. C'est fondamentalement égoïste. C'est à peine plus qu'une attraction animale. (2) J'ai besoin de toi, donc je t'aime. C'est encore un niveau d'amour très superficiel. Souvent, ce n'est rien de plus que de la luxure. C'est un sentiment qui peut être noble et valable, mais il s'agit encore de la recherche de soi. (3) Tu as besoin de moi, donc je t'aime. Voici l'amour qui atteint le niveau du désintéressement. Voici le genre d'amour qui vous met dans la disposition d'esprit d'apporter du bonheur à votre conjoint, but premier du mariage. Un but aussi désintéressé à la base ne peut qu'apporter un plus grand bonheur.

Voici le genre d'amour qui vous permettra de surmonter presque toutes les tempêtes de la vie.

Le seul moyen que je connaisse pour introduire ce genre d'amour dans le coeur de quelqu'un et de l'y maintenir, c'est de laisser *l'esprit* du Christ envahir votre vie.

Vous comprenez, nous sommes tous des êtres humains égoïstes, égocentriques et égotistes de naissance. C'est ce que la Bible appelle le péché, en d'autres termes, nous sommes nés avec une volonté centrée sur nous-mêmes. «Je veux ce que je veux, quand je le veux, de la manière que je le veux. Les gens qui sont sur mon chemin, je ne les aime pas. Les gens qui me privent d'un bien ou s'y opposent, ceux qui se mettent en travers de ma voie ou y dressent des obstacles, ces gens-là, je ne les aime pas. Soyez d'accord avec moi et je vous aimerai. Soyez en désaccord avec moi et je ne vous aimerai pas.» Telle est la nature humaine. Voilà la manière naturelle de penser, de ressentir et d'agir de chacun de nous.

Il faut, d'une certaine façon, briser l'ossature égoïste de notre esprit. Voilà pourquoi les chrétiens parlent de conversion ou de renaissance. Le Christ est vivant, il peut venir dans un être humain et changer cette attitude à la source et fondamentalement.

Je vous invite donc à demander à Jésus-Christ de venir vivre dans votre coeur et dans votre vie. Faites simplement la prière suivante:

Ô Christ, voici mon corps. Je t'invite à venir y vivre.

Ô Christ, voici mon cerveau. Je t'invite à penser par lui.

Voici ma figure. Je t'invite à t'y refléter. Ô Christ, voici mes yeux. Je t'invite à regarder les gens à travers eux. Ô Christ, voici mes possibilités émotionnelles. Je t'invite à t'en servir pour aimer les gens et prendre soin d'eux.

Le Christ aime les gens non pas en premier lieu parce qu'il les désire ou a besoin d'eux mais parce *qu'ils ont besoin de lui.* Souvent, je m'adresse à des jeunes gens sur le point de se marier et qui se disent tout à fait prêts. Ils ont en vue un appartement, ils ont même acheté leur mobilier. Ils se sont acheté une voiture. Ils ont même acheté un plan d'assurances et ils ont souvent un compte d'épargne. Quelques-uns ont repris le chemin de l'église. Il semblerait qu'ils sont tout à fait prêts pour le mariage, complètement préparés à se risquer dans la plus grande aventure institutionnalisée de la vie.

Maintes et maintes fois, cependant, il sortira d'un entretien avec eux qu'ils négligent encore la chose la plus importante dans leur vie. Maintes et maintes fois, je constate qu'ils ont négligé d'inviter Jésus-Christ à partager leur vie individuelle. Sans le Christ dans votre vie, vous n'êtes absolument pas préparé à faire face à la vie du mariage.

Récemment, nous étions de retour de vacances dans le *Middle West.* Lors de notre séjour, notre famille n'avait pas d'automobile puisque nous avions voyagé par avion. Dans l'Iowa, un ami me dit: «J'ai une voiture dont vous pourriez vous servir. Quand vous serez prêts à retourner en Californie, j'irai faire un tour et conduirai votre famille à l'aéroport. Vous pourrez vous envoler chez vous et je ramènerai ma voiture chez moi.»

La veille de notre départ, je pris la voiture de mon ami et m'assurai que tous nos bagages s'y trouvaient. Le jour de notre départ arriva et mon ami vint faire un tour. Après les adieux, nous nous entassâmes tous les sept dans la voiture. Madame Schuller tenait Gretchen sur ses genoux. À côté d'elle sur le siège arrière avaient pris place Jeanne, Anne et Sheila. Sur le siège avant se trouvaient mon ami le chauffeur et près de lui mon fils Robert; j'étais assis à ses côtés, tenant Carol, âgée de deux ans et demi, sur mes genoux. Avant de partir, ma femme et moi fîmes mentalement une révision de nos bagages.

«As-tu les dix valises?», demanda ma femme.

«Oui», dis-je «toutes les dix.»

«As-tu les billets d'avion?» demanda-t-elle.

«Oui.»

«As-tu ton porte-monnaie et le carnet de chèques?»

«Oui», lui dis-je encore.

«As-tu la clef de notre maison en Californie? Ce serait désastreux d'arriver chez soi et de s'apercevoir que nous n'avons pas la clef pour entrer dans notre propre maison.» Nous vérifiâmes donc le tout.

Puisque nous n'avions rien oublié, nous étions prêts. Après une brève prière, nous avons dit au chauffeur: «Partons.»

Il se tourna soudainement vers moi et dit: «Où est la clef de la voiture?» Je fus abasourdi. J'avais conduit la voiture durant quelques jours et voilà que j'avais oublié de lui remettre la clef. Franchement, je ne savais pas où elle se trouvait. Je fouillai dans mes poches. Elle n'était pas là. «Je parierais qu'elle est dans ton pantalon gris», dit ma femme.

«Où est mon pantalon gris?», demandai-je.

«Dans la valise grise» dit-elle.

Je sortis de la voiture et ouvris le coffre-arrière; je sortis la valise verte, puis une deuxième valise verte, puis la serviette, puis la mallette de ma femme, puis la valise brune, puis la bleue, puis la valise de Bobby. Enfin, je pris la valise grise, je l'ouvris et appelant ma femme: «De quel côté se trouve-t-il?»

«Je ne sais pas», répondit-elle. J'examinai de fond en comble un côté: chemises, chaussettes, chaussures supplémentaires, etc. Toujours pas de pantalon gris. J'ouvris l'autre côté de la valise où était rangé un assortiment de vêtements très bien pliés et finalement j'en sortis mon pantalon gris. J'en fouillai les poches. Aucune clef! Je fermai donc la valise et la remis dans le coffre-arrière de la voiture avec toutes les autres que j'avais sorties. Finalement, j'entassai de nouveau les valises dans le coffre-arrière, en fermai le couvercle et remontai dans la voiture. Je regardai ma famille de sept et le chauffeur, assis dans une splendide automobile, incapables d'aller nulle part, simplement parce que nous n'avions pas la clef de la voiture. À quoi servaient les billets d'avion sans la clef de la voiture pour se rendre à l'aéroport. Mon ami se dirigea tout simplement vers la maison, téléphona à sa femme qui arriva dix minutes plus tard, avec une clef de rechange reliée à sa chaînette porte-clefs.

À ce moment-là, l'essentiel, la chose la plus importante, c'était la clef. Sans elle, on ne pouvait pas aller très loin.

Je dis à un mari et à son épouse, à un futur mari et à une future épouse: vous pouvez avoir vos plans de maison, une voiture, une police d'assurance-vie et un compte d'épargne, mais si vous n'avez pas pris la décision de vous engager personnellement avec Jésus-Christ, vraiment, vous n'avez pas la chose la plus importante dont vous avez besoin.

Je vous invite donc maintenant à mettre le Christ dans *votre* vie. *Son esprit* dans votre vie, c'est la clef du succès dans le mariage. Qu'*il* soit le chef dans votre foyer, l'hôte invisible à chacun de vos repas, *celui* qui prête une oreille silencieuse à toutes vos conversations. Rappelez-vous *sa* promesse: «Ainsi, quiconque écoute ces paroles que je viens de dire et les met en pratique, peut se comparer à un homme avisé qui a bâti sa maison sur le roc. La pluie est tombée, les torrents sont venus, les vents ont soufflé et se sont déchaînés contre cette maison, et elle n'a pas croulé: c'est qu'elle avait été fondée sur le roc. (Matt., 7:24,25).

3

L'ÉPOUSE

*Une épouse merveilleuse fait
toute la différence au monde*

Après la lecture du sous-titre de ce chapitre, deux célibataires firent ce commentaire: «C'est magnifique, mais ce n'est pas pour moi.»

Êtes-vous un homme célibataire? Ce chapitre vous concerne, car il se peut qu'un jour vous preniez épouse. Envisagez donc cette possibilité.

Êtes-vous une femme célibataire? Vous aussi vous marierez peut-être un jour. Un pasteur s'adressait un jour à une de ses paroissiennes âgées, demeurée célibataire toute sa vie: «J'apprends que vous allez vous marier», dit-il.

Elle répondit, l'oeil moqueur: «Il n'y a rien de vrai dans tout cela, mais remerciez le Seigneur pour la rumeur.»

Oui, ce chapitre vous concerne. On y traite des épouses et presque chaque personne en est une ou en a épousé une; presque chaque personne en sera une, en épousera une; chaque personne en est le fils ou la fille.

De toutes les personnes du monde, nulle n'est plus importante que cette foule que nous appelons épouses. «Derrière tout homme qui réussit il y a une grande femme.» Voici une déclaration célèbre et pleine de vérité. Un autre l'a énoncée de cette façon: «Selon la femme qu'il épouse, un homme vit des jours fastes ou néfastes.»

Bill Vaughn du Star de Kansas City a fait l'estimation suivante:

Les gens qui compilent des statistiques pour savoir combien peut valoir le travail d'une épouse font le calcul suivant: gardienne d'enfants à $0,50 l'heure, secrétaire à $1,25 l'heure, la lessive à $10 par semaine, etc. Cela revient à peu près à $150 par semaine.

Cela m'étonne qu'on sous-estime tellement la valeur financière d'une épouse. Une bonne épouse est un avocat. Elle va voir le vendeur d'automobiles et lui dit: «Charlie, tu nous a refilé une espèce de tacot qui fait de drôles de bruits quand il démarre, et il démarre rarement: ou bien je vais te poursuivre en dommages-intérêts, ou bien je vais me mettre à crier très fort ou peut-être bien me jeter sur le plancher de ta luxueuse salle de montre et me morfondre.» Charlie dit: «Madame, nous allons réparer la voiture.»

C'est beaucoup plus efficace que ce que pourrait faire un mari. Il irait le voir et lui dirait:

«Aie, Charlie, crois-tu qu'il soit possible qu'il y ait quelque chose de défectueux dans le puissant modèle sport que tu m'as vendu?» Charlie répondrait: «Non.» Le mari dirait: «Je ne le croyais pas non plus.» Résultat, la famille devrait se contenter d'un citron.

Ainsi, dans des marchés comme celui-ci, j'estime que l'épouse en tant qu'avocat mériterait $25 000 en acompte sur ses honoraires. Avec de tels talents d'avocat, elle obtient de la buanderie que les chemises déchirées soient remises à neuf et que la compagnie d'assurance comprenne pourquoi elle devrait renouveler la toiture de la maison.

L'épouse est aussi médecin. Si un mari s'amène à la maison sans symptômes bien précis de maladie si ce n'est qu'il est un peu fatigué, il aura rapidement une prescription: «Ce dont tu as besoin, ce sont quelques petites parties de canasta avec Sam et Neva. Ce sera un merveilleux tonique pour ton organisme. Nous pouvons dîner en route à un restaurant bon marché.» Il a survécu. Combien les médecins gagnent-ils par année? Au moins 15 gros billets.

En outre, l'épouse est aussi psychiatre. Un homme dit: «Je veux aller faire une partie de quilles demain soir.» Sa femme lui dit: «Tu es cinglé.» Une seule séance comme celle-là par semaine au tarif de $50 chacune, c'est encore $2 500 de plus par année.

Prenez maintenant les conseillers matrimoniaux. L'épouse est le meilleur conseiller du monde. Si un mari dit: «Il y a quelque chose qui ne va pas dans notre mariage.» Elle répond: «C'est de ta faute.» Que reste-t-il à dire? Ajoutez-y un autre $25 000 par année.

L'épouse remplace aussi d'autres professionnels grassement payés, les conseillers en matière de taxes, les ingénieurs, par exemple. De la manière dont je vois les choses, l'épouse moyenne vaut facilement $185 000 par année.

(Résumé de The Worth of a Wife - La valeur d'une épouse).

Maintenant, la fameuse question d'un million de dollars. Qu'est-ce que l'homme attend vraiment de sa femme?

UNE CONCUBINE ATTITRÉE

Un homme veut quelqu'un qui puisse satisfaire à ses besoins biologiques. Aussi recherche-t-il une partenaire sexuelle. Tout mari en santé a besoin d'une concubine non dans le sens ordinaire et immoral d'une compagne sexuelle en dehors du mariage ou en plus de l'épouse légitime. Il est vrai que chaque épouse doit donner à son mari le plaisir sexuel qu'on exige habituellement d'une concubine. «Mon épouse est ma seule et unique concubine», me disait récemment un homme comblé.

Nous ne devons jamais oublier que Dieu est responsable pour ce que nous appelons le sexe. Dieu nous a conçus et créés mâles et femelles. «Dieu vit tout ce qu'il avait fait, cela était très bon.» (Genèse 1:31). Commentant ce verset, Charlie Shedd dit un jour: «Et parmi les meilleures des bonnes choses du Seigneur, il faut placer le sexe à son meilleur.»

Plusieurs conseillers sont d'accord pour dire que la mésentente sexuelle est la principale cause de problèmes dans le mariage. Le défi de l'épouse consiste à devenir l'heureuse compagne de jeux de son mari. Le docteur Marion Hilliard écrivait de l'une de ses patientes, la femme d'un pasteur venue la voir toute penaude pour lui parler de son problème. Elle et son mari faisaient l'amour une fois par semaine, le dimanche soir. Ces ébats la laissaient épuisée pour le lendemain matin alors qu'il lui fallait faire face à l'énorme lessive hebdomadaire.

«J'ai essayé de le persuader que c'était très pénible pour moi», se plaignait la femme du pasteur, «mais c'est peine perdue. Y a-t-il quelque chose que je pourrais faire?»

«Certainement», répliqua vivement le docteur Hilliard, «faites votre lessive le mardi.»

La femme est la seule et unique concubine de son mari, consacrée par le mariage!

UNE CONFIDENTE

Quelques profonds que puissent être les besoins biologiques de l'homme, ses besoins sociaux sont encore plus profonds. Il a besoin d'une personne à qui il peut vraiment ouvrir son coeur, dévoiler ses blessures, faire part de ses espérances. L'homme veut dans la femme quelqu'un qui puisse l'écouter quand il cherche sa voie dans ses rêves, qui puisse souffrir avec lui quand il a des problèmes.

Le mariage, celui qui comporte un engagement à toujours se confier, fournit à l'homme une compagne à qui il peut se révéler totalement, corps et âme. Sûr que sa femme est la sienne et son unique conjoint pour la vie, il peut lui confier ses sentiments les plus intimes et les plus secrets. On ne peut pas faire entièrement confiance à une personne avec qui les liens ont de grandes chances de se briser.

UNE COMPAGNE

Qu'est-ce qu'un homme désire chez une femme? Il désire une amie chaleureuse, une compagne compréhensive.

Une étude réalisée auprès de mille cinq cents ménages révèle que la plainte première des hommes à l'endroit de leurs épouses, vient de ce qu'elles parlent trop et n'écoutent pas assez.

Un homme disait: «Ma femme peut renoncer à tout sauf au téléphone.»

Une femme se plaignait à son mari des mauvaises manières de sa nouvelle voisine. «Albert, si cette femme n'a pas baillé douze fois pendant que je parlais, elle n'a pas baillé du tout.» À ceci, Albert répondit: «Peut-être qu'elle ne baillait pas, chérie, peut-être qu'elle essayait de placer un mot.»

Dans la plupart des cas d'adultère, voici ce qui arrive. Un mari qui passait (ou une femme qui passait): «Je fus d'abord attiré(e) par l'autre partenaire parce qu'il(elle) était si compréhensif(ve). Il ne s'agissait pas d'amour physique, de sexe. C'était tout simplement parce que lui (elle) voulait m'écouter et il me semblait que ma femme (mon mari) n'a jamais réellement voulu m'écouter. Cela a débuté par un chaleureux compagnonnage, voilà tout. Et puis, à un moment donné, on a perdu le contrôle.»

En mai 1971, dans le magazine *Good Housekeeping,* Virginia Graham fit cinq suggestions sur l'art de demeurer heureux en mariage. J'ai particulièrement aimé son dernier point.

Les cinq démarches pratiques pour un magnifique mariage de Virginia Graham.

1. Avant de dire «Oui», soyez sûr d'abord d'avoir étudié longuement et soigneusement la

famille de votre fiancé. En principe, il deviendra ce qu'ils sont aujourd'hui.

2. Assurez-vous que vous aimez vraiment ce qu'il aime ou que vous n'aurez pas de mal à vous en accommoder le reste de votre vie.

3. Ne soyez pas intransigeante ni inflexible.

4. Gardez vos ennuis et vos larmes pour le lendemain.

5. Essayez de penser à l'avenir, à un jour éloigné où quelqu'un vous demandera comment vous avez fait pour demeurer d'heureux conjoints si longtemps. J'espère que vous serez capable de répondre de la manière que je le fais: «C'est facile», dis-je, «j'ai épousé mon meilleur ami.»

Dans *Woman's Guide to Better Living 52 Weeks a Year* (Le guide de la femme pour une vie meilleure 52 semaines par année), le docteur John A. Schindler, conseiller, écrit avec sagesse: «L'amour est un mélange de sexe et d'amitié profonde. Le problème vient de ce que, dans bien des cas, il y a surtout du sexe et très peu d'amitié.»

UNE CONSCIENCE

Il est possible que la plupart des hommes ne l'admettent pas, mais ils s'attendent vraiment à ce que leur femme soit la conscience de leur vie et de leur communauté.

L'homme d'affaires: «Ma femme ne se préoccupe pas de l'apparence de ma secrétaire aussi longtemps qu'elle donne un bon rendement.»

Ma femme est ma conscience. Comme je la respecte pour cela! Comme elle m'aide ainsi! Cependant être la conscience d'un mari ne veut pas dire le changer ou le convertir.

Ruth Graham, épouse de Billy Graham, disait: «Le devoir d'une femme consiste *à aimer son mari, non pas à le convertir.*»

Cependant, conservez cet esprit qui peut conseiller ou corriger avec douceur. Quand l'épouse cessera d'être le symbole de l'Idéal, tout dans la société commencera à se détériorer. Soyez une bonne conscience!

John Boyle O'Reilly demande dans un poème: «Qu'est-ce que le Bien?»

«Qu'est-ce que le vrai bien?»
Demandai-je d'un ton rêveur.

C'est l'ordre, dirent les tribunaux;
C'est la connaissance, dit l'école;
C'est la vérité, dit l'homme sage;

C'est le plaisir, dit le fou;
C'est l'amour, dit la jeune fille;
C'est la beauté, dit le page;
C'est la liberté, dit le rêveur;
C'est le foyer, dit le sage;
C'est la renommée, dit le soldat;
C'est l'équité, dit le prophète;
Parle mon coeur plein de tristesse;
«La réponse n'est pas ici.»
Alors du fond de mon coeur
J'entendis une douce voix:

«Chaque coeur abrite le secret;
Bonté est la réponse.»

LA RESPONSABLE DE L'AMBIANCE CRÉATRICE

Dans une épouse, un homme s'attend à trouver quelqu'un qui peut orienter le climat mental vers le côté positif de la vie. Soyez donc cette femme.

Un patrouilleur d'autoroute arrêta un jour une femme pour excès de vitesse; elle se justifia en présentant l'excuse la plus positive qu'il ait jamais entendue: «Cette autoroute est tellement dangereuse que je me hâtais de la quitter.»

L'épouse peut fournir à son mari le plus grand stimulant.

Épouses: il n'y a rien de plus important que de bâtir sa conscience de mâle. Rien n'est plus désastreux que de négliger d'être ce stimulant, de négliger de soutenir et de bâtir cette conscience de mâle.

C'est pour cette raison que la plus importante qualité d'une épouse qui a du succès, c'est de pouvoir penser positivement. Si un homme pense que son épouse n'est bonne qu'à démolir ses rêves, son mariage s'en va à la ruine. Aucun homme ne quittera jamais ou ne cessera d'aimer une femme qui a un esprit positif, constructif, source d'enthousiasme et de confiance en lui.

Comment pouvez-vous devenir une femme génératrice de confiance. Écoutez encore ce qu'écrivait Virginia Graham dans le magazine:

Chacun a besoin de ce que j'appelle une chambre chinoise dans laquelle on peut se retirer et plus ou moins refaire connaissance avec soi-même. Entrez-y seule et faites mentalement une liste de ce que vous faites bien et de ce que vous faites mal.

Dans votre chambre chinoise, vous pouvez en arriver à la conclusion que si vous tenez votre maison en parfait ordre, si vous n'oubliez jamais de mettre sur votre liste d'emplettes les oeufs, le beurre et le bacon, et si vous ne laissez jamais les fleurs sécher dans leur pot, cependant, vous êtes peut-être beaucoup moins soucieuse de la manière de conduire votre mariage. Un grand miroir dans votre **chambre chinoise** *est une nécessité. Regardez-vous attentivement. Vous pouvez voir que non seulement vos cheveux ont besoin de retouches, mais votre façon de penser aussi. Vous pouvez avoir l'impression de trop vous préoccuper de votre mari alors qu'en réalité vous vous occupez peut-être trop de vos passe-temps favoris et que depuis assez longtemps votre mari ne déborde pas de joie. Sortez de votre* **chambre chinoise** *avec les mots «Je t'aime» en tête de votre liste. Alors, prononcez ces mots bien fort.*

Si votre conjoint semble dur d'oreille, la seule cause est probablement qu'il n'a pas entendu cette phrase depuis très longtemps et qu'il ne peut pas tout de suite en saisir le sens.

(Voici un exemple apporté par Virginia de quelqu'un qui a une *chambre chinoise,* en l'occurence Lucille Ball.) Quand Lucy a épousé Gary Morton, il était comédien figurant. Elle, évidemment était une très grande vedette et elle l'est encore. Pendant cinq ans, Gary se mit patiemment à la tâche pour apprendre le métier de Lucy. Elle, de son côté, visitait sa *chambre chinoise* et apprenait comment être moins attachée à l'aspect financier de son vaste talent. Aujourd'hui, quand vous dînez avec Lucy et Gary, souvent elle ne dit pas un mot si ce n'est pour approuver Gary.

Et celui-ci, en parlant de Lucy, dit: «Elle est peut-être mon patron durant le jour, mais le soir elle est mon épouse.»

Vous créez un état d'esprit positif en étant une femme heureuse et joyeuse. Qu'il est à plaindre l'homme fatigué de sa journée qui doit rencontrer au foyer une femme déprimée, fatiguée, se prenant elle-même en pitié. Soyez fière de votre rôle d'épouse et de gardienne du foyer. Qu'y a-t-il de plus important!

Catherine Menninger, épouse du célèbre William Menninger, rapporte dans un article du *Reader's Digest:*

Je me rappelle un soir où, couchée depuis des heures, je rongeais mon frein à cause de mon existence monotone: j'enviais la vie excitante et qui, selon moi, valait la peine d'être vécue, des charmantes infirmières qui travaillaient avec le docteur Will. Se rendant compte que j'étais éveillée, mon mari me demanda ce qui n'allait pas. J'éclatai en sanglots et commençai à me vider de mes frustrations. Il m'écouta paisiblement et puis me demanda: «Cay, crois-tu vraiment qu'élever nos trois fils, leur aider à devenir des hommes en santé de corps et d'esprit, n'est pas un important travail? Les infirmières peuvent tenter de guérir la maladie, mais toi, tu as la chance de la prévenir.»

Vous créez un climat mental positif en étant patiente (Remettre à demain ce que vous auriez gâché en le faisant aujourd'hui). Exercez-vous à l'art de la délicatesse et du doigté. (Changer de sujet de conversation sans changer d'idée.) Par-dessus tout, habituez-vous à accepter: (Aimez les personnes telles qu'elles sont, c'est-à-dire des êtres imparfaits. C'est l'amour *arrivé à maturité* à l'oeuvre).

Le docteur Hain Ginott écrivait dans Between Parent and Teenager (Entre le parent et l'adolescent):

L'amour n'est pas que sentiment et passion. L'amour est une suite d'attitudes, une série d'actes qui engendrent la croissance et enrichissent la vie de celui qui aime et de celui qui est aimé. L'amour romantique est souvent aveugle. Il tient compte de la force mais ne voit pas les faiblesses de l'aimé. Au contraire, l'amour arrivé à maturité accepte la force sans rejeter la faiblesse. Dans l'amour arrivé à maturité ni le garçon, ni la fille essaie d'exploiter ou de posséder l'autre. Chacun s'appartient. Un tel amour donne la liberté de s'épanouir et de devenir davantage soi-même. Un tel amour est aussi un engagement à demeurer en bons termes, à essayer de résoudre les problèmes même dans les périodes de colère et d'angoisse. L'amour et le sexe ne comportent pas les mêmes émotions, mais le sage apprend à combiner les deux.

Créez maintenant un climat d'esprit positif, en encourageant votre mari à réussir. Apprenez à connaître votre mari, appuyez-le. Soyez son meilleur stimulant. Soyez fière de lui et que cette fierté paraisse! Pensez positivement. Attention à vos réponses à ses idées positives.

Ne dites pas:

Ça ne peut pas se faire.
On n'en a pas les moyens.
Je suis trop fatiguée.
Mais les enfants...
On n'a pas le temps.
C'est impossible.

Mais dites:

Ça semble merveilleux!
Comment fêtez-ça?
Voyons comment on pourrait le faire.
Cherchons un moyen pour le faire.
Pensons, réfléchissons jusqu'à ce que nous ayons trouvé la solution.

Pour devenir ce genre de personne, mettez Dieu dans votre vie. La vraie religion fait toute la différence au monde.

Un rabbin et un fabricant de savon se promenaient ensemble. Le fabricant de savon dit: «À quoi sert la religion? Voyez tous ces troubles et

toute cette misère dans le monde après des milliers
d'années de religion. Si la religion est quelque chose
de vrai, alors pourquoi tout cela?»

Le rabbin ne répondit rien. Ils continuaient de
marcher quand ils aperçurent un enfant qui jouait
dans une gouttière. L'enfant était tout couvert de
boue et de saleté. Le rabbin dit: «Regardez cet enfant. Vous dites que le savon rend les gens propres.
Ça fait des générations qu'on a du savon et pourtant voyez comme cet enfant est sale. Que vaut le
savon? Malgré tout le savon du monde, cet enfant
est toujours sale. Quelle est l'efficacité du savon de
toute façon?»

Protestant, le fabricant de savon dit: «Mais Rabbin, le savon ne peut rien faire de bon si on ne
l'emploie pas.»

«Exactement», répliqua le rabbin, «il en est de
même pour la religion.»

La religion n'est d'aucune efficacité si on ne s'en
sert pas; et il faut s'en servir jour après jour sans
jamais cesser. Le vrai pouvoir de la religion
pénétrera votre vie et fera de vous une femme
authentiquement attrayante si vous laissez le Christ
envahir votre coeur et votre vie.

Robert Null, M.D., éminent ophtalmologiste de
la Californie du Sud et un de mes paroissiens, me

disait: «J'ai regardé dans les yeux de milliers de femmes et, croyez-moi, je peux lire dans leurs yeux si le Christ est dans leur coeur.»

La femme qui vit avec le Christ est toute pétillante, c'est une femme gaie et pleine d'entrain. Elle ne vieillit jamais. Quelques joyeuses rides peuvent bien apparaître autour de ses yeux, mais les yeux eux-mêmes ne se rident jamais. Ils brillent comme des yeux d'adolescents, même à quatre-vingts ou quatre-vingt-dix ans.

Et maintenant, ami lecteur, au moment où vous lisez cette page, Jésus-Christ frappe à la porte de votre coeur. Laissez-le envahir votre vie aujourd'hui. Il dit: «Voici que je me tiens à la porte et que je frappe; si quelqu'un entend ma voix et ouvre la porte, j'y entrerai...»

Faites-le tout de suite. Agenouillez-vous et priez.

4

LE MARI

Huit paroles de sagesse pour
les maris et les pères

«Je ne sais pas ce que je fais de mal, docteur Schuller», me disait un père et mari affolé, «mais ça ne va plus avec ma femme et mes enfants», ajoutait-il. «J'en suis venu à la conclusion que ce doit être de ma faute.» Après une analyse soignée de la situation, je lui prescrivis Huit Paroles De Sagesse Pour Maris Et Pères. Sa vie en fut transformée miraculeusement. Maintenant, puissent-elles faire des merveilles chez vous.

1. QUE VOTRE PENSÉE
   SOIT CONSTRUCTIVE.

Que votre pensée soit constructive et la vie vous servira du positif.

Ce que l'on sème, on le récolte. (Gal. 6:7)
Lance ton pain sur l'eau, et à la longue tu le retrouveras (Eccl. 11:1)... de la mesure dont vous mesurez, on usera pour vous. (Matt. 7:2)

Ces versets de la Bible illustrent la loi des échanges proportionnels. La vie, c'est comme une balle de caoutchouc: chaque fois que vous la lancez, elle vous revient. Les événements fastes arrivent aux gens qui ont des pensées constructives.

Je me rappelle d'un père qui vint me voir parce que son fils était vraiment en état de perdition. Il disait: «Je ne sais pas ce que nous avons fait de mal. Nous lui avons enseigné à ne pas boire, à ne pas fumer. Nous lui avons enseigné à ne pas jurer, à ne pas voler.»

Je l'interrompis et dit: «Je crois que votre problème est là. Vous n'avez pas montré à votre enfant la voie à suivre. Vous avez essayé de lui montrer celle qu'il ne devait pas suivre.»

Il se produit des miracles quand une pensée constructive prend la relève. Charlie Shedd, dans l'un de ses merveilleux livres, *Letters to Karen* (Lettres à Karen), parle d'un couple très heureux en mariage, Bob et Helen. Quand on leur demanda le secret de leur joie dans le mariage, ils répondirent:

Au début de notre mariage, nous eûmes une période très difficile. De fait, nous avons même parlé de séparation. Puis nous avons lu quelque chose qui nous a inspirés. Nous avons décidé que chacun ferait une liste de ce qu'il n'aimait pas chez l'autre. Naturellement, ce fut difficile, mais Helen me remit sa liste et je lui remis la mienne. La lecture en fut très pénible. Il y avait des griefs dont nous n'avions jamais parlé ou discuté de quelque façon. Puis nous avons fait ensemble ce qui pourrait sembler ridicule, aussi j'espère que vous ne rirez pas. Nous nous sommes dirigés vers la poubelle à l'arrière de la cour et avons brûlé ces deux listes de griefs. Nous les avons regardées s'envoler en fumée et nous nous sommes enlacés pour la première fois depuis longtemps.

Nous sommes alors revenus à la maison et avons dressé une liste de toutes les qualités que nous pouvions découvrir chez l'autre. Ce fut long, car nous étions assez déprimés dans notre vie conjugale. Mais nous n'avons pas démissionné et après l'avoir terminée, nous avons fait une autre chose qui va nous paraître insensée. Venez dans la chambre à coucher, je vais vous montrer.

C'était une chambre propre, ornée de plusieurs lampes et du gros lit vieillot, en provenance de la maison de grand-mère, recouvert d'un couvre-lit qui semblait heureux.

Deux cadres étaient suspendus au centre du mur de cette chambre à coucher; leurs encadrements étaient de bois d'érable uni; dans ces cadres, qu'est-ce que vous pensez qu'il y avait?

Dans l'un, c'était la liste des qualités qu'Helen pouvait observer chez Bob. Dans l'autre, c'était un griffonnage des qualités d'Helen. C'était tout ce qu'il y avait: deux listes pleines de rayures derrière une vitre.

Si nous avons un secret, je crois que c'est celui-ci. Nous nous sommes entendus pour en faire la lecture au moins une fois par jour. Évidemment, nous les connaissons par coeur maintenant. Je ne pourrais pas me mettre à vous dire l'influence qu'ils ont eue sur moi. C'est drôle aussi, car plus je réfléchis aux qualités que ma femme m'a découvertes, plus je m'efforce de les réaliser. Et quand j'aurai vraiment compris ce qu'il y a de bon chez elle, j'essaierai de toutes mes forces de miser sur ces qualités. Maintenant je pense qu'elle est la plus merveilleuse personne au monde. J'espère qu'elle en pense autant de moi, aussi ...

2. ESSAYEZ POSITIVEMENT

Un effort positif est une conséquence logique d'une pensée constructive, car l'effort doit suivre la pensée. Trop de gens battus d'avance disent comme cet homme: «J'ai tellement à faire que je ne sais pas par où commencer; alors, je vais d'abord m'asseoir, me reposer et puis quoi qu'il en soit, ça se fera.» La vérité, c'est qu'en général nous réussissons quand nous avons un ardent désir du succès. À coeur vaillant rien d'impossible.

Un dimanche, deux hommes jouaient au golf et jouaient très mal. Le premier dit: «Je crois que j'aurais dû rester à la maison ou aller à l'église.»

Le second, un mordu du golf, répliqua: «De toute façon, je ne pouvais pas aller à l'église. Mon épouse est malade et retenue au lit.»

Je connais trop de pères aujourd'hui qui essaient de jouer un rôle de premier ordre aux plans financier et professionnel, mais qui ne mettent pas la même passion, la même ardeur à réussir dans leur rôle de mari et de père.

Tout ce qui en vaut la peine demande du temps, de l'effort et de l'enthousiasme. Il y a des gens qui ne réussissent pas dans leur vie de chaque jour, même s'ils ont des pensées créatrices, car ils n'agissent pas avec enthousiasme.

Dans un autre excellent livre *Letters to Philip* (Lettres à Philip), Charlie Shedd raconte l'histoire suivante:

Je chassais habituellement le canard avec un homme qui avait un faible pour ses fusils. Il avait aussi un faible pour le mien...Et pourtant mon fusil avait même des égratignures sur la crosse. Il était aussi chambré, ayant dans le canon des matières qui l'encrassaient; alors il me disait que cela dépendait de ma négligence à le nettoyer immédiatement au retour de la chasse.

Il y avait cependant de bonnes raisons pour que je continue de chasser avec ce perfectionniste des armes à feu. Il était membre de la meilleure concession de chasse au canard sur la rivière et je ne l'étais pas. Il était aussi président du bureau de direction de notre église et nous pouvions causer affaires en allant et venant. La troisième raison n'était pas aussi gaie. Il avait des problèmes avec son épouse et j'espérais pouvoir être capable de sauver son mariage.

Peine perdue! Finalement, sa femme l'abandonna! Ils obtinrent leur divorce. C'était un de ces cas qui aurait fait pleurer un homme. Il était là assis dans son magnifique cabinet de travail aux murs ornés de têtes d'antilopes, de faisans empaillés, au sol recouvert d'une opulente carpette blanche fabriquée de peaux de chèvres de montagne; ce bureau était une véritable panoplie de beaux fusils qui sentaient l'huile de banane.

Il se tenait près de l'armoire à fusils et, à l'occasion, les sortait, les manipulait avec tendresse et amour. Puis se souvenant de l'apparence de mon fusil, il s'envolait de nouveau dans une de ses diatribes sur le soin des armes à feu. Cela ne manquait jamais de *me faire honte et je m'en retournais à la maison bien déterminé à sortir mon fusil, à le nettoyer comme il ne l'avait jamais été auparavant.*

Mais savez-vous ce qui est arrivé? À mon retour à la maison, mon épouse m'attendait sur le seuil. Nous nous sommes assis sur notre causeuse berçante et, main dans la main, nous fîmes un brin de causette. En moins de temps qu'il ne fallait pour la regarder dans les yeux, j'avais complètement oublié ma noble résolution d'aimer mon fusil avec plus d'amour.

L'autre jour, comme je repensais à tout cela, j'eus comme un éclair de génie. C'est drôle, n'est-ce pas, que nous ayons souvent ces idées lumineuses trop tard.

Il arriva que mon ami, fervent de l'huile de banane, plaçait toujours dans ses cours au moins une citation comme celle-ci: «Je ne peux tout simplement pas comprendre comment un homme peut investir autant dans un fusil et puis le laisser aller en ruines!»

Ma pensée de génie fut celle-ci: «Pourquoi n'ai-je pas calculé combien lui avait coûté sa femme? Dépenses pour lui faire la cour, pour le cinéma, les fleurs, les dîners, les cadeaux, les timbres-postes, les noces; puis toutes les dépenses de nourriture qu'elle avait absorbée depuis des années, de vêtements qu'elle avait achetés et de médicaments. Réellement, cela ferait un bon petit magot, n'est-ce pas?»

Alors, j'aurais pu dire: «Mon cher ami! Vous avez absolument raison. Appliquons donc votre brillante citation à un autre sujet. L'homme n'est-il pas fou d'investir autant dans le mariage et puis de le laisser aller en ruines?»

3. NE MÉNAGEZ PAS VOS CARESSES

Une pensée constructive conduit à des actes positifs et les actes positifs conduisent aux caresses constructives.

«Tout ce que je désire de mon mari n'est pas vraiment beaucoup plus que ce que mon chien veut de lui», me dit un jour, une femme en consultation. Elle s'expliqua: «Quand mon mari arrive à la maison, mon chien est là qui attend trois choses: premièrement, un regard et quand mon mari le regarde, il remue la queue; alors, il veut une parole «Bonjour Collette». Un regard, une parole et finalement une caresse.»

«Un regard, un mot, une caresse», résuma-t-elle, «c'est vraiment tout ce que je veux de mon mari.»

Le toucher est l'un de nos cinq sens naturels et conséquemment, c'est un très puissant véhicule de communication.

Un père et mari qui se plaignait de *ne plus se sentir près de sa famille* a vaincu ce sentiment en suivant ce conseil que je lui avais donné.

Je lui avais ordonné d'aller dans les garde-robes, dans les tiroirs de sa femme et de ses enfants et de toucher à leurs vêtements. Toucher au contenu de leurs tiroirs. Toucher à leurs choses personnelles. «Palpe-les, caresse-les, tiens-les dans tes mains. Maintenant touche à leur figure. Expérimente la chaleur de leur vie qui vibre au bout de tes doigts.» J'ajoutai: «Reste en étroite communication avec eux chaque jour par téléphone pour leur demander tout simplement des nouvelles.»

Ceci me conduit à la parole de sagesse suivante.

4. QUE VOTRE PAROLE INSPIRE

Pour établir des relations intimes, restez en étroite communication en gardant ouvertes toutes les avenues. Pour rester en étroite communication, il faut prendre le temps de se parler seul à seul et de façon positive.

Si vous apprenez à être créatif dans vos conversations, vous êtes sûrement sur la voie du succès dans votre rôle de mari et de père.

Un mari, c'est quelqu'un qui vous parle de l'autre bout de la maison, la tête dans la garde-robe pendant que vous faites couler le robinet, et qui dit que vous ne l'écoutez pas.

Voici le sage conseil d'Ogden Nash aux maris bavards:

Pour garder votre mariage rempli jusqu'au bord.
Avec de l'amour plein la coupe d'amour
Chaque fois que vous avez tort, admettez-le!
Chaque fois que vous avez raison, taisez-vous!

Le docteur Henry Poppen est un de mes bons amis et un associé en pastorale. Il a oeuvré quarante ans outre-mer. Il eut un succès extraordinaire dans l'art de communiquer. «Quel est votre secret?», lui demandai-je un jour.

Sa réponse fut lapidaire. «Trois mots», me répondit-il. «Soyez *amical, sincère* et *énergique.*» Comme mari et père, j'ai suivi ce conseil et ça marche à merveille.

Par-dessus tout, ayez des paroles positives. Soyez une source d'inspiration et non un parent plaignard. Ne grognez pas, élevez plutôt l'âme par votre conversation. Que vos paroles inspirent, illuminent, élèvent, amusent votre maisonnée et toute l'atmosphère spirituelle transmettra comme une onde électrique le bonheur et la joie. Puissent vos enfants vieillir avec le souvenir d'un père qui les remontait toujours en disant: «T'es capable, fiston. Certainement que tu es capable. Tu as en toi tous les talents pour le faire et je vais voir à ce qu'ils s'épanouissent.»

Faites naître les occasions de parler intimement avec votre femme et chacun de vos enfants. Je modifie délibérément mon emploi du temps très chargé pour créer des occasions d'être seul avec mes enfants et de leur parler en privé. Tantôt, c'est dans leur chambre à coucher, tantôt dans la mienne, tantôt dans ma voiture. Nous recherchons un climat d'esprit favorable au partage des choses intimes. À période fixe, je prends le temps de prier tout seul avec chacun de mes enfants. C'est magnifique! Ces instants d'intimité constituent absolument la plus belle récompense de ma vie. Faut-il le faire souvent? Cela dépend. Je suis sensible à leurs états d'esprit aussi bien qu'à mes besoins émotionnels intimes. Un homme sensible va sentir chez sa femme, chez son enfant et chez lui-même le besoin d'une conversation privée. Répondez promptement et franchement à ces sentiments.

Quand vous prenez le temps de parler, prenez aussi le temps de mettre en pratique la parole de sagesse suivante.

5. QUE VOTRE APPROCHE SOIT POSITIVE

Recherchez, écoutez pour voir quels membres de votre famille essaient ou veulent vous parler. J'ai pris la résolution suivante envers ma femme et mes enfants.

Je promets de vous écouter quand je vous entendrai.

Il se peut que leurs plaintes soient fondées comme celles d'une firme qui vendait à partir d'un catalogue des objets à fabriquer soi-même. Le client mécontent envoya la lettre de plaintes suivante:

J'ai bâti une volière conformément à vos plans ridicules. Non seulement elle est trop grande, mais le vent l'emporte constamment.

—Signé, Malheureux

Et voici la réponse.

Cher malheureux. Je suis désolé! Par erreur, on vous a envoyé les plans d'un voilier. Si vous croyez être malheureux, vous devriez voir le type qui est arrivé dernier aux régates du club nautique avec une volière qui prend l'eau.

Ayez évidemment assez de force de caractère pour l'admettre si vous vous êtes trompé. «Excusez-moi» et «désolé» sont des mots miracles.

Je me rappelle avoir eu un jour une âpre discussion avec ma fille aînée Sheila qui, à cette époque, débutait son secondaire. Je me hâtais pour me rendre au bureau et elle se dépêchait pour arriver à temps à ses cours. Comme je la conduisais à l'école, j'eus des paroles très cinglantes à son égard. Je la fis descendre en face de son école, je lui dis au revoir et je la regardai entrer. Je m'aperçus alors qu'elle tremblait. Cela m'ennuya vraiment. Je stationnai ma voiture et priai. Si votre prière est honnête, vous commencez par vous demander: «Comment puis-je m'améliorer?»

J'en arrivai à la conclusion que ma conduite n'était pas celle d'un chrétien. J'ai alors téléphoné au bureau de l'école et je parlai au principal de l'école. Je lui dis: «Ma fille fait partie de votre école. Il faut que je la voie ce midi à l'heure du lunch. S'il vous plaît, donnez-m'en l'autorisation.» Ce qui me fut accordé.

Voici ce que Sheila a raconté plus tard à quelques-uns de ses amis de l'école: «Je descendais l'escalier lorsque le principal qui était là me dit: «Sheila, votre père vous attend dehors, il veut vous voir.»

Quand elle sortit, je l'accueillis avec un sourire, lui pris la main et lui dis: «Sheila, je ne suis certainement pas fier de notre comportement de ce matin et particulièrement du mien. Je veux m'excuser. Je ne crois pas avoir agi en chrétien. Si ton comportement n'était pas excusable, le mien ne l'était pas davantage. Allons manger.»

Je choisis un très bon restaurant avec serviettes de toile et nous avons pris un bon repas. (C'était la toute première fois que nous sortions seuls tous les deux pour aller manger.) Avant le repas, la main dans la main, nous avons prié. Je demandai à Dieu de me pardonner et *il* le fit. Je pardonnai moi-même à ma fille et ma fille me pardonna. Sheila a raconté à beaucoup de gens qu'elle et moi, nous nous étions rendu compte que ces moments comptaient parmi les plus beaux de notre vie. Nous avions été tous les deux honnêtes dans nos disputes. Nous avions tous les deux été honnêtes en avouant que nous avions dépassé les limites. Et nous avions tous les deux été très honnêtes en nous pardonnant l'un l'autre.

6. QUE VOTRE ENSEIGNEMENT MORAL SOIT CONSTRUCTIF

Evidemment, ce conseil particulier s'adresse aux pères.

Un jour, au Colorado, un arbre géant s'abattit. C'était un tout jeune arbre quand Colomb débarqua à San Salvador. Quatorze fois, il avait été la cible des éclairs; il avait survécu aux orages, défié les tremblements de terre et les glissements de montagnes. Finalement, de petits scarabés eurent raison de lui. Ils percèrent son écorce, forèrent des trous jusqu'au coeur, mangèrent à belles dents les puissantes fibres et le grand roi de la forêt s'écroula.

Les États-Unis d'Amérique sont très gravement menacés de s'écrouler sous la pourriture envahissante de l'immoralité de la société. La force morale, c'est l'épine dorsale d'une personnalité, d'un individu, d'une institution, d'une nation.

Quand les dix commandements sont ouvertement violés, vous pouvez vous attendre à un effondrement.

Qu'est-ce que la moralité? Il s'agit de décider ce qui est *bien* et non *ce qui plaît*. La personne qui a un sens moral ne se demande pas avant d'agir: «Qu'est-ce que j'aimerais faire?» mais plutôt «Qu'est-ce qu'il faut faire?»

Enseignez la moralité à vos enfants et ils feront un succès de leur vie. Cela comporte nécessairement que nous soyons positifs. Le mystérieux milliardaire Howard Hughes recherchait cinq hommes susceptibles de devenir ses aides les plus intimes, les plus fiables. Il choisit cinq membres de l'Église des Mormons, sachant qu'il pouvait compter sur leur sens moral.

«Oui, cherchez à imiter Dieu, comme des enfants bien-aimés.» (Eph. 5:1)

«Recommande à Yahvé tes oeuvres, tes projets réussiront.» (Prov. 16:3)

«Instruis l'enfant de la voie à suivre, devenu vieux, il ne s'en détournera pas.» (Prov. 22:6)

7. QUE VOTRE ATTITUDE FACE AUX PROBLÈMES SOIT CONSTRUCTIVE

Ayez une pensée constructive dans la solution de vos problèmes personnels et familiaux. Et Dieu sait que vous allez en avoir. Rappelez-vous, rappelez à votre épouse, à vos enfants qu'on réussit non en se dérobant aux problèmes mais en leur faisant face avec un esprit créatif.

Avant la Deuxième Guerre mondiale, Charley Boswell était un demi-arrière et un voltigeur à l'Université d'Alabama. Peu après sa graduation en 1940, il fut envoyé à l'armée.

Sur le théâtre des opérations en Europe, il commandait un régiment de fusilliers. Le 30 novembre 1944, il réquisitionna un tank, y attacha une remorque et se dirigea vers un village allemand voisin et vers un dépôt d'approvisionnement américain, à la recherche de nourriture et de munitions.

Un obus allemand 88 frappa son tank, y mettant le feu. «J'en sortis, mais je vis qu'un membre de l'équipage était encore à l'intérieur. J'y retournai et le tirai à l'extérieur; mais au moment où je quittais le tank, il était à nouveau touché. Je m'éveillai à l'hôpital, aveugle», dit Boswell.

Des mois plus tard, à l'hôpital Valley Forge près de Philadelphie, il essaya de jouer au bowling. La première fois, il tomba et on retrouva la boule deux allées plus loin.

Alors, il essaya l'équitation. Lors d'une chevauchée en forêt, le cheval courut sous un arbre et une branche le renversa au sol.

Le jour suivant, le caporal Kenny Gleason, un ex-assistant professionnel de Charlotte, N.C. dit à Boswell: «Capitaine, je vais vous enseigner à jouer au golf.»

Boswell se souvint que ses échecs au bowling et à l'équitation l'avaient vraiment déprimé. Aussi, lui dit-il sa façon de penser. «Comment un aveugle peut-il jouer au golf s'il ne peut même pas voir la balle?» «Mais, dit Boswell, il revint à la charge et j'ai finalement consenti. Il m'a sauvé et j'ai appris à jouer au golf».

On a pu constater à quel point il avait bien appris, dans un club sportif local.

Le premier trou au Yorba Linda Country Club s'étend sur 398 mètres. Son parcours est si long qu'il sème la terreur dans le coeur du golfeur moyen qui se contenterait très bien de s'en sauver avec un *bogey* 5.

Mais ce premier trou n'énerva pas Charley Boswell avec son handicap de 21. Évidemment, il ne peut pas voir le vert dans le lointain ni même la balle.

Charley ne dit que ces mots: «Dirige-moi et je vais envoyer la balle dans le trou.»

Et c'est ce qui arriva. À 54 ans, Boswell a gagné dix-sept fois le Tournoi national des Golfeurs aveugles.

Boswell se prépara en jouant quelques trous. Au premier, il eut un 6, mais les autres membres du quatuor en firent autant, même Watkins (Waverly Watkins, qui avait un handicap de cinq, était son ami intime).

Même un golfeur aveugle a besoin d'un trou ou deux pour se réchauffer. Après avoir lentement poussé son *tee* sur le tertre du deuxième trou, Charley se sentit prêt.

Il contrôla bien ses bois sur les *fairways* au deuxième (362 mètres), au troisième (337) et au quatrième trous (378). Les trois coups avaient été dirigés vers le drapeau mais la balle s'était arrêtée à une distance variant de 1.5 à 4 mètres du vert.

Charley réussit le *par* au deuxième trou, mais obtint des *bogeys* aux troisième et quatrième. N'eut été des accidents de terrain et du caractère capricieux de ses coups roulés, il eut mérité des *pars*. Sur un coup roulé de 1.5 mètre, la balle dévia et sur un autre de 4 mètres, la balle donna contre l'arrière de la coupe et en ressortit.

C'était une bonne performance pour un aveugle travaillant avec un aide sans expérience. Watkins n'avait pas assisté Charley depuis le voyage de ce dernier dans l'Ouest, un an auparavant.

Pour chacun des coups, Watkins plaçait le bâton sur la balle, le pointant dans la bonne direction. À ce moment, Boswell agrippait son bâton, plaçait la balle. Il ne l'a pas ratée une seule fois.

Pour les coups d'approche et les coups roulés, Watkins faisait marcher Boswell à partir de la balle jusqu'au drapeau de sorte qu'il pouvait se rendre compte de la distance. Pour les coups d'approche, le calcul de la distance et la précision sont excellents.

Pour les longs coups roulés, on lui faisait également marcher la distance. Pour les coups roulés de 1.2 mètres ou 1.5 mètres, il touchait la balle de son bâton et s'accroupissait pour tâter le trou. À cette distance, il ne ratait jamais ses coups roulés.

Il frappe la balle mieux qu'un golfeur qui a un handicap de 25 mais son pointage ne s'améliorent pas; en effet, comme beaucoup d'autres gens, il se rend compte que les affaires ne vont pas de pair avec le golf.

C'est un homme d'affaires de l'Alabama. Il gère sa propre firme d'assurance, possède une entreprise qui manufacture des balles de golf personnalisées et une autre qui fabrique des gants pour golfeurs.

Vous avez des problèmes? Il est possible de les solutionner de façon créative.

8. QUE VOTRE FOI EN L'AUTRE SOIT POSITIVE

Avancez maintenant dans la vie armé d'une foi religieuse positive, vivante et joyeuse. Croyez en Dieu et soyez un père, source d'inspiration. Découvrez la foi. Vivez cette foi. Pratiquez cette foi. Laissez-la transparaître à travers votre personne et vous serez un mari et un père heureux.

Lou Little était un entraîneur de football à l'Université de Georgetown. Un jour, le président vint à lui et, lui nommant un étudiant, dit: «Lou, connaissez-vous ce type?»

«Certainement», répondit Lou, «il a fait partie de mon équipe durant quatre ans. Je ne l'ai jamais fait jouer. Il est assez bon, seulement il manque de motivation.»

«Eh bien», poursuivit le président, «nous venons d'apprendre la mort de son père. Pourriez-vous lui annoncer la nouvelle?»

Dans une chambre à l'écart, l'entraîneur mit son bras autour des épaules du garçon: «Prends une semaine de congé, je suis peiné pour toi.» C'était mardi. Le vendredi, l'entraîneur Little, entrant au vestiaire, vit l'étudiant en train de s'habiller. «Pourquoi es-tu déjà de retour?» demanda Little.

«Les obsèques ont eu lieu hier, entraîneur. Alors, je suis revenu. Demain, vous le savez, c'est une joute importante et il faut que j'y prenne part.»

«Une minute, fiston», dit Little, «tu sais que je ne t'ai jamais utilisé en début de partie.»

«Mais vous allez le faire demain et vous ne le regretterez pas», dit avec fermeté le garçon en larmes.

S'adoucissant, l'entraîneur décida que si le sort favorisait son équipe et lui permettait de recevoir le ballon la première, il l'utiliserait dès le premier jeu. Il ne pouvait causer grand dommage sur le premier retour de botté. Eh bien, le sort favorisa Georgetown. Au premier jeu, l'orphelin courut à l'autre extrémité du champ comme une vraie tornade. L'entraîneur Little, n'en revenant pas, le laissa pour un autre jeu. Il bloqua, plaqua, passa et courut. Ce jour-là, au grand étonnement de tous, il gagna la partie pour l'Université de Georgetown.

Dans le vestiaire, l'entraîneur Little, tout perplexe, lui demanda: «Fiston, qu'est-ce qui s'est passé?»

Le jeune vainqueur, à bout de souffle, répondit: «Entraîneur, vous n'avez pas connu mon père, n'est-ce pas? Eh bien, monsieur, il était aveugle et aujourd'hui c'était la première fois qu'il me voyait jouer.»

Soyez ce genre de père. Découvrez un motif d'agir et vivez-le. Quand les temps vous sembleront plus sombres, votre famille se lèvera et vous honorera.

5

LES ADOLESCENTS

Dix conseils pour les adolescents.

Savez-vous ce que vous désirez vraiment plus que tout au monde? Il se peut que vous ne le sachiez pas. Beaucoup d'adultes ne savent pas que ce qu'ils désirent plus que la vie elle-même, c'est le sentiment merveilleux d'amour de soi.

Il était assis dans mon bureau; chevelure longue et frisée, vêtements débraillés, figure triste et yeux creux. Nous avons peu parlé pendant quelque temps, mais je pouvais me rendre compte que son esprit était ailleurs. Il n'y eut aucun contact entre nous jusqu'au moment où je lui demandai de but en blanc: «Pourquoi as-tu les cheveux longs?»

Soudain, il s'anima et me répondit tout de suite: «Les cheveux longs me donnent l'impression d'être grand.»

«Veux-tu réellement avoir les cheveux longs?»

«Oui, je le veux.»

«Es-tu sûr que c'est une *longue chevelure* que tu *veux vraiment?* Ou est-ce l'impression de te sentir grand?»

«Je n'ai jamais réfléchi à cela de cette façon. Je sais que ce que j'aime, c'est de me sentir grand.»

«Tes compagnons à l'école ont-ils les cheveux longs?»

«Oui, les jeunes que je fréquente ont tous les cheveux longs.»

«Que crois-tu qu'ils penseraient si tu avais les cheveux courts et soignés, dans le genre de ton père?»

«Yarck!»

«Ce que tu veux vraiment, c'est d'être *accepté* par tes amis. Quand tu sens que tu fais vraiment partie du groupe, tu te sens grand. Tu crois qu'une longue chevelure est une preuve que tu es bien accepté d'eux. Ce n'est pas la longue chevelure que tu aimes, c'est d'être accepté par ceux avec qui tu te sens en sécurité.»

«Je n'ai jamais pensé à cela, vous avez peut-être raison.»

«Comment aimerais-tu que ton père commence à se laisser pousser les cheveux comme toi?»

«Je ne sais pas. Je ne suis pas sûr que j'aimerais ça.»

«Tu n'es pas sûr parce que tu n'aimerais vraiment pas cela.»

«Que voulez-vous dire?»

«Te sens-tu bien ou non quand tu es loin de tes parents au sein de la bande?»

«Je me sens bien quand je suis en compagnie des autres copains.»

«Alors, tu te sens bien quand tu es libéré de tes parents?»

«On dirait.»

«Alors, c'est par ta longue chevelure que tu te sens différent de ton père. Elle crée chez toi un sentiment de séparation de ton père. Elle te donne un sentiment de liberté vis-à-vis ton père. Et je ne crois pas que tu serais très heureux si ton père portait les cheveux longs et frisés. Tu commencerais probablement à te couper les cheveux dans le style de ton père.»

«Je n'avais jamais pensé à cela, vous avez peut-être raison.»

«Ce que tu tentes de faire, c'est de te découvrir toi-même. Tu veux savoir qui tu es. Tu as seize ans, c'est ce que nous appelons l'adolescence.»

«Qu'est-ce que cela veut dire?»

«Un adolescent, c'est quelqu'un qui n'est pas bien sûr de ce qu'il est. Parfois, il pense qu'il est un adulte. Il croit cela parce que son corps est grand. Mais au plan émotionnel, ses sentiments sont souvent ceux d'un pré-adolescent, souffrant d'insécurité, sollicitant d'être accepté des autres et désirant être aimé. Mais il veut surtout être capable de s'aimer lui-même, ce qu'il ne pourra vraiment pas faire aussi longtemps qu'il ne se connaîtra pas lui-même. Voilà pourquoi tu veux te sentir libre vis-à-vis de ton père et de ta mère. On ne peut se découvrir que quand on est libre. Mais si tu fais simplement ce que les autres de ton groupe font, tu n'es pas encore libre. Tu les copies. Tu les suis. Tu essaies de devenir ce qu'ils sont. Si tu ne fais qu'imiter les autres, tu ne deviens pas vraiment toi-même. Et tu n'es pas toujours libre pour découvrir le vrai type que tu es en réalité.»

La session se poursuivit très longtemps et il se rendit compte que ce qu'il voulait vraiment, c'était de se respecter, de s'estimer et de s'aimer lui-même.

1. COMBLEZ LE FOSSÉ ENTRE LES GÉNÉRATIONS

Voici mon tuyau numéro un pour les adolescents qui veulent apprendre à s'aimer eux-mêmes. Essayez de vous identifier avec vos parents, *n'essayer pas de les fuir.* Si vous voulez savoir qui vous êtes, et c'est nécessaire avant de pouvoir réellement vous sentir en sécurité avec vous-même, vous devez aussi connaître vos parents: en effet, vous êtes comme un morceau de vos parents, vous êtes une extension de leur vie et vous leur ressemblez plus que vous ne vous en rendez compte.

Vous ne serez jamais entièrement libérés de vos parents alors, vous devriez aussi bien essayer de les connaître. Restez en relation avec eux parce qu'ils seront toujours avec vous. Vous pouvez quitter le foyer, vous pouvez vous marier, vos parents peuvent même mourir, vous ne pourrez jamais vous dégager entièrement de leur emprise.

Un psychiatre populaire, Eric Berne, a écrit un best-seller intitulé *Games People Play* (Les jeux des gens). Il explique que dans chaque personne, il y a au moins trois états du moi. Il y a l'état d'enfance qui fait comprendre pourquoi beaucoup d'adultes agissent parfois comme des enfants: ils boudent, ils se battent, ils poussent des cris. De même que l'état d'enfance demeure une partie de notre personnalité durant toute notre vie, de même nos parents demeurent une partie de notre personnalité durant toute notre vie. Souvent au cours de votre vie, vous allez vous surprendre à agir de la même manière que votre père. Soudainement, tout surpris, vous vous direz peut-être à vous-même: «Eh bien mon vieux, ceci, c'est mon père tout craché.» C'est l'état parental en opération. Vous ne participez pas uniquement aux caractéristiques physiques de vos père et mère comme les yeux, l'inclinaison des épaules, la démarche, le nez, mais durant toute votre vie et plus que vous ne l'imaginerez jamais, vous refléterez l'esprit de votre père et de votre mère.

Alors, puisque vous devez vivre avec eux sur le plan mental, émotionnel et psychologique durant toute votre vie, il est logique que vous appreniez à les connaître, à les comprendre, à cheminer avec eux; sinon, il vous faudra les combattre puisqu'ils continueront à exister en vous tous les jours de votre vie. Essayez de comprendre pourquoi ils agissent comme ils le font.

Apprenez à vous aimer vous-même en tissant des liens d'entente avec votre père et votre mère.

2. SOYEZ COMPÉTENT EN ÉDUCATION

Vous réussirez à vous respecter, à vous estimer, à vous aimer quand vous vous rendrez compte que vous n'êtes pas sot. Pour un adolescent, quitter l'école ou refuser la possibilité de développer son potentiel par une éducation collégiale, cela équivaut à déchirer un billet de $100 000. Il n'y a aucun doute qu'un cours collégial ou secondaire vaut facilement plus que $100 000. L'argent en lui-même ou dans ses possibilités ne donne nullement l'amour de soi, mais il peut être un instrument de grande valeur pour arriver à l'estime de soi. Si pour vous donner de la valeur, vous ne faites servir votre argent qu'à acheter de grosses voitures, de somptueuses résidences pour jeter de la poudre aux yeux et vous valoriser alors, c'est triste à dire, cet argent ne joue pas son vrai rôle; mais si vous considérez l'argent comme quelque chose dont vous pouvez vous servir pour aider ceux qui sont dans le besoin, pour l'éducation physique et morale de vos enfants, éducation qui leur permette de se réaliser au maximum, alors l'argent devient très important pour bâtir l'amour de soi. Nous nous aimons nous-mêmes quand nous aidons les autres à devenir ce qu'ils devraient être.

L'argent construit des hôpitaux. L'argent paie les recherches scientifiques qui guériront les malades. L'argent est une chose importante. Vous vous devez à vous-même d'en gagner le plus possible, de la meilleure manière possible afin d'en donner le plus possible aux grandes oeuvres de notre époque.

J'ai reçu en consultation un jeune homme qui était tenté de quitter le collège parce que, disait-il: «J'ai un emploi à mi-temps et on veut m'embaucher à plein temps. On me paiera $600. par mois.» Pour ce jeune homme, cela paraissait une fortune.

«Tu sais, lui dis-je, si tu passes les trois prochaines années à poursuivre tes études, tu gagneras beaucoup plus que $7 200 par année les trois années suivantes. Si tu passes les trois prochaines années

au collège, tu gagneras facilement plus de $120 000.
Ceci représente $40 000 par année.»

«Comment ça?» dit-il.

«C'est un fait reconnu qu'un diplômé, à cause de
l'éducation reçue touche, au cours des quarante
années qu'il gagne sa vie, un excédent annuel
moyen de $3 000. Cela revient à dire que si tu pour-
suis tes études, on te versera une somme de
$120 000 pour trois ans d'étude. Tu pourrais dire
que c'est de l'argent placé pour toi dans un compte
spécial à la banque et que tu seras remboursé pendant quarante ans au rythme de $3 000 par année»,
lui fis-je remarquer.

«Monsieur», dit-il, «je n'ai pas les moyens de
laisser tomber mes études.» Et il ne quitta pas le
collège.

On parvient à l'amour de soi quand on découvre
les talents que Dieu a placés en nous. Quand on est
fidèle à mettre en oeuvre les plus grands de ses
talents, on a un sens très aigü de sa propre valeur.
Voilà le but véritable et la fin de toute éducation.

Aimer, c'est rencontrer quelqu'un que vous
respectez. Vous parviendrez à vous connaître, à
vous respecter, à vous admirer quand vous aurez
fait la découverte du potentiel qui est en vous.

3. VOUS DEVEZ VOTRE MOYEN DE SUBSISTANCE À VOTRE PAYS

C'est dans les responsabilités que vous faites la découverte de vous-même. Vous avez hérité de la citoyenneté de votre pays. Cela veut dire que la citoyenneté comporte une responsabilité aussi bien qu'un privilège. Il y a toujours du danger à accepter des privilèges sans en assumer les responsabilités, mais c'est là une manière de vivre qui ne conduira jamais à la découverte et à l'appréciation de soi-même.

Il vous sera utile de comprendre ce qu'est un héritage, ce n'est pas un cadeau, c'est un fiduciaire. Un fiduciaire, c'est un bien qui vous est donné pour en prendre soin et le remettre à d'autres.

J'ai rencontré un jeune homme qui s'apprêtait à quitter l'école parce que, disait-il: «Mon père est très riche. Il va mourir un de ces jours et je vais hériter de tous ses biens.» Ce garçon qui parlait ainsi avait dix-sept ans. Son père n'en avait que quarante et un.

«Tu dois te rendre compte qu'il est possible et vraisemblable que ton père puisse vivre jusqu'à quatre-vingt-dix ans», lui dis-je. «Qu'arrivera-t-il de toi s'il vit jusqu'à quatre-vingt-dix ans?»

Il avait l'air bouleversé quand il me répondit: «Bon sang! Mais j'aurai soixante-sept ans!»

Si vous comptez sur l'héritage familial, vous ne serez jamais motivé pour libérer votre propre potentiel, unique moyen d'arriver à une valeur personnelle réelle. Je n'ai pas pu résister d'exhorter ce jeune homme une dernière fois. «Quand tu recevras cet héritage familial, si tu le reçois, rappelle-toi qu'il ne t'appartient pas vraiment. Il appartient à la famille qui a vécu avant toi et à celle qui viendra après toi. Ce n'est pas un cadeau que tu reçois. Tu n'y es pour rien. Mais il a été placé en fiduciaire entre tes mains. Tu peux t'en servir si tu en as vraiment besoin, sinon tu dois le faire fructifier et le transmettre à tes enfants pour qu'ils puissent eux aussi le léguer à leurs descendants.»

Appliquez ce principe de l'héritage à votre citoyenneté. Vous êtes un citoyen des États-Unis: vous avez hérité de la liberté de pensée, de parole et de travail. Beaucoup de jeunes gens vivent dans des pays où ils n'ont pas cette liberté dont vous avez hérité. Assumez votre responsabilité de garder votre pays en vie en le protégeant des dangers internes et externes. Développez un patriotisme positif et sain et vous aurez une conscience plus éclairée de votre propre identité et de votre valeur personnelle.

4. APPRENEZ À BIEN FAIRE LA DIFFÉRENCE ENTRE LA LUXURE ET L'AMOUR

La luxure n'est que la stimulation et la mise en exercice de la pulsion sexuelle animale. Le sexe animal considère son partenaire de sexe opposé comme une *chose*. Quand les énergies sexuelles sont libérées dans un amour réel, le partenaire sexuel n'est pas considéré comme un objet mais comme une personne. Quand un homme parle d'une femme uniquement en termes de *femelle,* il la considère davantage comme une *chose* que comme une *personne*. La femelle devient alors possession pour satisfaction personnelle et égoïste.

Voici des choses très importantes: la satisfaction égoïste conduit à l'avilissement personnel et finalement à la honte; l'autodiscipline conduit à l'estime de soi.

LA LUXURE

Considère le partenaire sexuel comme une chose.

Se pose la question: qu'est-ce que j'aimerais faire?

C'est ce qui vous rend honteux quand c'est terminé (longtemps après).

L'AMOUR

Considère le partenaire sexuel comme une personne.

Se pose la question: quelle est la chose correcte à faire?

C'est ce qui vous fait vous sentir propre aux yeux de Dieu, quand tout est terminé.

QU'EST-CE QUE L'AMOUR?

> L'AMOUR, C'EST MA DÉCISION
> DE FAIRE DE TON PROBLÈME
> MON PROBLÈME AUSSI
> LONGTEMPS QUE TU VIVRAS.

La luxure, une fois satisfaite, nous laisse toujours l'impression d'avoir baissé dans notre propre estime. C'est pour cette raison qu'il n'est pas rare de voir des hommes assassiner leur maîtresse ou des femmes assassiner l'homme qu'elles avaient recherché pour la luxure. Après un certain temps, la pratique de la luxure détruit tellement l'amour de soi qu'on est tenté de sauver cet amour en liquidant l'objet qui l'a entraîné à cette luxure, source de honte et de disgrâce à ses propres yeux.

Les relations sexuelles en dehors des liens du mariage sont-elles morales ou immorales? Elles sont immorales parce qu'elles tendent à générer la honte au lieu de l'estime. L'amour, c'est à la fois la confiance, la foi et le respect. Si donc la pulsion sexuelle est basée sur un amour vrai, alors il y aura du respect pour le partenaire et cette foi, cette confiance dans l'autre inviteront naturellement au mariage. Si deux jeunes gens veulent avoir des relations sexuelles, mais ne veulent pas se marier,

cela doit vouloir dire qu'ils ne veulent pas assumer de responsabilités, en d'autres termes qu'ils choisissent les privilèges sans les responsabilités. (C'est un principe qui dénote une auto-disgrâce et une estime de soi à la baisse.)

ou cela peut vouloir dire qu'ils ne se respectent pas l'un l'autre suffisamment pour s'engager à passer le reste de leurs vies à se consoler, se fortifier et se supporter l'un l'autre. (C'est ça le mariage.)

Récemment, un interviewer me demandait à la télévision: «Ne croyez-vous pas que si deux jeunes gens attendent d'être mariés pour avoir des relations sexuelles, ils ne pourront pas se rendre compte de leur incompatibilité?» La réponse saute aux yeux: *c'est ridicule!*

La vérité, c'est que la compatibilité sexuelle n'est pas une chose qui se produit naturellement. C'est un art et parfois cela peut prendre des mois, des années pour le maîtriser. En ma qualité de pasteur, j'ai conseillé beaucoup de maris et d'épouses, en ménage depuis quelques années, qui n'avaient pas encore réalisé une compatibilité sexuelle, mais qui, grâce aux conseils compétents de leur médecin, ont parfaitement bien réussi par la suite dans ce domaine. Il est évident qu'ils n'auraient jamais pu réaliser (ou expérimenter) cette compatibilité dans des relations sexuelles prémaritales. De plus, dans l'acte sexuel, les émotions des deux partenaires sont tellement vives que le test de compatibilité ne peut survenir que dans un climat où il y a absence totale de crainte, de culpabilité ou d'autres émotions négatives. C'est rarement possible au cours de relations sexuelles pré-maritales. Voilà pourquoi beaucoup d'adolescents se sont aventurés dans des relations sexuelles sans s'épanouir véritablement. Ils ne se sont jamais mariés parce qu'ils en avaient conclu qu'ils étaient sexuellement incompatibles. La vérité est qu'ils auraient pu être sexuellement compatibles s'ils avaient été libres de vivre leur vie sexuelle pendant des mois, des années sans ressentir sans cesse de la culpabilité, de la honte et de la crainte; c'est ce climat que l'on retrouve dans le mariage.

Puisque le sexe prend une telle importance dans votre vie, il faut absolument débuter dans la vie sexuelle sans avoir en mémoire des souvenirs imprégnés de crainte, de honte, de culpabilité. Je voudrais dire à tous les adolescents qui lisent ce livre: Soyez sages! Que votre nuit de noces soit votre première expérience sexuelle. Pour les filles, cela voudra dire que votre expérience sexuelle ne comportera pas de crainte ou de rejet. Il n'y aura pas cette inquiétude d'être laissée pour compte après une semaine ou un mois. Le sexe est synonyme de joie et votre joie ne sera pas complète et totale si elle est imprégnée de culpabilité, de honte, de remords ou de l'inquiétude d'être abandonnée, rejetée ou de devenir enceinte.

De même, la possibilité d'un succès durable est plus grande si le mariage débute par un geste inoubliable, positif et rempli d'émotion. Les relations prémaritales vont vous priver de l'unique expérience émotionnelle d'une intensité inoubliable qui prend tout l'organisme; la nature, en effet, collabore à ces débuts par un baptême choc. Avoir des relations prémaritales, c'est comme grignoter à coeur de jour. Quand l'heure du banquet arrive vous avez gâté votre appétit, vous avez perdu la joie de l'attente. Ne vous privez pas de la joie d'un plaisir différé. Je vous promets ceci. Le soir de vos noces, si vous avez su attendre jusqu'à ce moment, vous serez tous les deux fiers de vous-mêmes. Cet amour de soi sans tache rendra possible une plus grande intensité de jouissance sexuelle.

5. NE LAISSEZ PAS L'AMOUR DE VOUS-MÊME ALLER À LA RUINE

La voie facile ne conduit pas au bonheur. Les narcotiques n'édifient pas l'amour de soi; au contraire, ils servent d'échappatoire à une confrontation avec vous-même. Souvenez-vous que vous ne serez jamais heureux aussi longtemps que vous ne serez pas capable de vivre et d'être heureux avec vous-même. Les émotions fortes que procurent les narcotiques sont une contrefaçon de l'amour de soi. L'authentique respect de soi fait son apparition quand vous êtes conscient d'édifier une vie constructive pour vous et les autres. Le bonheur consiste à aider les autres et non à fuir la réalité.

6. PLANIFIEZ VOTRE VIE ET RÉALISEZ VOTRE PLAN

Fixez-vous un idéal et efforcez-vous de l'atteindre. Visez à atteindre cet idéal vers l'âge de quarante ans. Trop de jeunes attendent d'avoir quarante ans avant de décider ce qu'ils veulent faire. À l'âge de l'adolescence, il est facile de présumer que vous avez toute une vie pour faire quelque chose de valable. Si vous attendez d'avoir quarante ans, d'une part vous ne faites que diminuez les possibilités de vous réaliser et d'autre part, vous augmentez considérablement les obstacles. Après quarante ans, c'est toujours possible de vous bâtir une vie valable mais il vaut mieux s'efforcer de poser des bases solides avant d'atteindre le milieu de votre vie.

Ne tombez pas dans le piège de cette philosophie qui enseigne: «Mangez, buvez, soyez heureux car demain vous mourrez.» Récemment, je conseillais un jeune garçon de dix-huit ans qui était tout mêlé. Quand je lui ai demandé pourquoi il s'enivrait, il répondit sans hésiter: «Eh bien, qui sait! J'irai peut-être à la guerre et j'y mourrai. Ou la bombe atomique tombera dans les alentours et nous serons tous réduits en miettes. Je ne sais pas combien de temps il me reste à vivre, aussi je vais en profiter.»

Je lui répondis: «Voici mon conseil: étudie, travaille, sois sérieux car il est possible que tu sois encore en vie demain. Il se peut que tu ne meures pas à la guerre. Il se peut qu'il n'y ait jamais de guerre atomique. Il est possible que tu sois en vie demain et tu regretterais d'avoir gaspillé ces années. Étudie, travaille, bûche et si demain tu es en vie, tu remercieras Dieu de t'avoir permis de jeter en terre une semence fructueuse. Voilà le chemin qui permet d'acquérir un merveilleux sens de sa propre valeur.»

7. LE SUCCÈS, C'EST CE QUE VOUS ÊTES ET NON CE QUE VOUS FAITES

Pour vous bâtir une philosophie du succès et de l'échec, rappelez-vous ceci: Vous pouvez accomplir ce en quoi vous êtes capable de croire. En dernière analyse cependant, on mesurera votre valeur non à ce que vous aurez fait mais à ce que vous serez devenu. Devenez ce grand personnage, très renommé, cette personne merveilleuse et vous aurez réussi.

La liberté la plus précieuse que vous ayez, c'est celle de choisir votre Dieu. Choisissez votre Dieu. Ensuite votre Dieu décidera de votre personne et de votre destinée.

8. DITES VOTRE MOT SUR LA PAIX

En tout ce qui regarde la guerre et la paix, n'oubliez jamais que la guerre signifie toujours la destruction de la vie et la ruine de la dignité humaine. Ne tombez pas dans l'excès contraire en prétendant qu'on a toujours tort de faire la guerre. Quand l'Amérique entra en guerre pour aider à abattre le régime nazi en Allemagne, la guerre était essentielle. Même si elle fut un enfer, elle avait pour unique but de libérer des êtres humains et de sauver la dignité humaine.

La paix sans la liberté ne laisse pas de place au respect de soi. La paix sans la justice, sans la liberté, sans la possibilité pour chacun de dire ce qu'il pense est inhumaine et pire que la mort.

9. RAPPELEZ-VOUS QUE LE CONFORMISME N'EST PAS LE MOYEN D'ÊTRE VRAIMENT POPULAIRE

À cette période de sa vie, l'adolescent cherche à développer sa personnalité, à découvrir sa propre identité, à prendre conscience du caractère de son moi. Ceci ne se réalisera jamais dans des milieux conformistes. Personne d'autre n'est exactement semblable à vous. Pour découvrir ce que vous êtes, vous devez vous tenir debout sur vos deux jambes.

Ne soyez pas un suiveur. Soyez un jeune leader à l'esprit positif. Vérifiez et corrigez quelques-unes des idées négatives qui circulent dans la culture des jeunes d'aujourd'hui.

PENSÉES NÉGATIVES

LES VIEUX ONT GÂCHÉ NOTRE MONDE.

C'est vrai qu'ils ont commis des erreurs mais pensez à ce qu'ils ont fait de constructif. Qu'ont-ils accompli? Il n'y a plus de polio! L'anesthésie, les antibiotiques, les aspirines! Les transplantations d'yeux, de reins et de coeurs! À cause de la génération d'hier, chaque jeune qui naît aujourd'hui a une chance de vivre vingt ans de plus, en meilleure santé que ceux qui sont nés il y a un siècle.

L'ESTABLISHMENT EST HYPOCRITE. C'est évident! L'hypocrisie sera toujours présente chez une race humaine pécheresse. Mais, un instant, s'il vous plaît. Qu'est-ce que l'hypocrisie? Est-ce manquer de satisfaire à un standard dans lequel nous professons de croire? Non, car alors tous seraient des hypocrites, sauf Jésus-Christ. L'hypocrisie, c'est manquer de satisfaire à ses propres standards mais en essayant de toujours donner aux gens l'impression que l'on y est fidèle.

Qu'est-ce que l'hypocrisie? Écoutez la réponse de Jésus: «Qu'as-tu à regarder la paille qui est dans l'oeil de ton frère? Et la poutre qui est dans ton oeil à toi, tu ne la remarques pas! Comment peux-tu dire à ton frère: «Mon frère, attends, que j'enlève la paille qui est dans ton oeil», toi qui ne vois pas la poutre qui est dans le tien? Hypocrite, enlève d'abord la poutre de ton oeil; et alors tu verras clair pour enlever la paille qui est dans l'oeil de ton frère.» (Luc 6:41,42)

Jeunes gens, avant de critiquer la génération précédente pour ses fautes, soyez sûrs que votre

génération est sans faute. Faites d'abord un net-
toyage en règle de vos péchés, comme l'abus
généralisé de la drogue, la reproduction irrespon-
sable des enfants. Sur une période de douze mois, il
y a eu 45 000 naissances illégitimes en Californie
seulement! À ce rythme, les États-Unis vont bientôt
devenir des immenses communes d'enfants sans
père, créant plus de ghettos, sources de pauvreté et
de crimes. Un Noir américain de grande renommée,
le Révérend docteur Leon Sullivan a indiqué que le
problème des Noirs aux États-Unis prend racine
dans le manque d'image paternelle dans la société
noire. Cela a débuté au temps de l'esclavage quand
l'homme était vendu, abandonnant ainsi sa femme.
Toute une culture noire s'est développée autour des
femmes et des enfants illégitimes. Le problème ainsi engendré fait partie de l'Histoire.

10. SUIVEZ LA TRACE DU RÊVE DE DIEU SUR VOTRE VIE

Le fait que vous soyez suffisamment en vie pour
lire ce paragraphe prouve que Dieu a un plan sur
votre vie. Si vous êtes athée, j'ai des nouvelles pour
vous. Vous ne croyez peut-être pas en Dieu, vous
pouvez nier l'existence de Dieu mais vous ne
pouvez jamais empêcher Dieu de vous aimer. Il est
vivant. Il nous aime et vous n'y pouvez absolument
rien. Il a un but pour votre vie même si vous n'y
croyez pas. Il a un plan pour votre vie même si vous
ne le découvrez pas.

Vous aurez atteint un véritable amour de vous-même quand vous aurez découvert que la vie vaut la peine d'être vécue, quand vous aurez découvert un Dieu qui vaut la peine d'être servi.

Le Christ est un Dieu qui vaut la peine d'être servi. Permettez à Jésus-Christ d'envahir votre vie et vous allez réellement commencer à vivre. N'ayez pas peur. Quand le Christ envahira votre vie, *il* ne vous tuera pas. Il est vrai qu'il y a des choses qui meurent quand le Christ envahit nos vies. L'appréhension de l'avenir meurt. La crainte, la haine, la culpabilité, l'ennui, les complexes d'infériorité et les ressentiments meurent. Mais quand ils meurent, vous commencez à vivre!

Une jeune adolescente m'a transmis cet essai intitulé: «Me, Myself and I» (Je, me, moi).

Pourquoi une telle est-elle née? Que cherche-t-elle? Où va-t-elle et pourquoi? Je veux être tout à fait franche et honnête avec vous; je n'ai rien à cacher. Pourquoi Dieu m'a-t-il mise sur cette terre? Quel est son grandiose et merveilleux plan sur moi et ma vie? Encore une fois, je ne sais pas. Nous n'avons qu'à vivre chaque jour au maximum et croire en *lui*. Beaucoup de gens appréhendent l'avenir. Pas moi, pas du tout. Qu'est-ce que l'anxiété peut faire que la foi ne fait pas? La chose la plus importante de ma vie, c'est ma religion. Je ne veux pas vous donner l'impression d'être fanatique, car je ne le suis pas; mais depuis que Jésus-Christ est entré dans ma vie, je pense de façon beaucoup plus positive. Il n'y a rien comme d'avoir des idées constructives.

Beaucoup de choses sont impossibles à l'homme, mais rien n'est impossible à Dieu. Il est plus facile d'être heureux quand on entretient des pensées positives. Le matin, je me lève et remercie Dieu pour la bonne nuit de sommeil qu'*il* m'a donnée et je *lui* demande d'être mon guide durant le jour qui vient. Je *lui* soumets toutes mes décisions, en d'autres mots, je ne prends jamais une décision sans *le* consulter. Par exemple, l'été dernier, j'avais la chance d'aller au Guatemala avec quelques autres jeunes gens. J'avais vraiment planifié mon voyage. J'avais prié. La nuit suivante, comme je marchais dans ma chambre à une heure assez tardive, je vis une araignée sur le mur. Cela a dû me prendre vingt minutes avant d'avoir assez de courage pour écraser cette fameuse bestiole et encore quinze minutes pour nettoyer le dégât sur le mur. Je me mis à penser que s'il m'a fallu autant de temps pour la tuer chez moi, qu'est-ce que j'aurais fait en Amérique Centrale, là où, je crois, elles sont beaucoup plus grosses? Alors, j'ai commencé à croire que Dieu me signifiait que je ne devais pas aller au Guatemala. Le lendemain, je reçus un appel inattendu m'offrant un emploi que

j'ai accepté. Et ça marche à merveille.
Ayant Dieu de mon côté, je n'ai à m'inquiéter
de rien. Je vis en m'appuyant sur les paroles du
Christ: «Si vous avez de la foi gros comme un
grain de sénevé, vous direz à cette montagne:
«Déplace-toi»... et rien ne vous sera impossible.» (Matthieu 17:20,21)

Un puissant sentiment d'amour vous inondera
quand Jésus-Christ envahira votre vie. Une belle
jeune fille de notre communauté était allée à
Berkeley, Californie, où elle commença à consom-
mer de la drogue. La marijuana et le LSD étaient
devenus sa vie. Quand ses parents lui
téléphonèrent, lui demandant de venir à la maison,
elle consentit avec une seule idée derrière la tête:
dire à son père et à sa mère qu'elle retournerait à
Berkeley mais qu'elle ne reviendrait jamais plus à la
maison. Ses parents me téléphonèrent, me sup-
pliant de causer avec elle durant le week-end qu'elle
passerait à la maison. Ils vinrent ensemble à mon
bureau, le père, la mère et la fille. Elle avait l'air
d'une loque! Ses tensions intérieures, son sentiment
de culpabilité, son attitude de *dure* avaient défiguré
sa jolie jeune figure. Très sincèrement, elle me
déclara: «J'ai trouvé Dieu dans le LSD. Chaque
vendredi soir, nous avons nos réunions. C'est beau!
Vous ne connaissez pas Dieu aussi longtemps que
vous ne l'avez pas découvert dans le LSD.»

Je lui répondis: «Moi, je crois avoir découvert
Dieu en Jésus-Christ.» Et je poursuivis: «Tu pro-

clames avoir trouvé Dieu dans le LSD. Qui a raison, toi ou moi? Faisons passer un test à nos dieux», lui suggérai-je. «Dieu est amour, d'accord?» Elle m'approuva d'un signe de tête. «L'amour aide les gens, d'accord?» ajoutai-je. De nouveau, elle m'approuva. «Combien d'argent avez-vous recueilli dans vos réunions de LSD, de l'argent pour les affamés, pour les enfants handicapés, pour trouver un remède au cancer?» demandai-je. Elle demeura silencieuse.

Je poursuivis: «Je dois te dire que grâce à l'esprit de Jésus-Christ qui a envahi l'existence des fidèles de cette église, nous avons donné plus de $50 000 au cours des douze derniers mois pour aider des humains à résoudre leurs problèmes. Les églises chrétiennes ont bâti des hôpitaux, des institutions pour aveugles, pour malades, pour boiteux et pour des lépreux en terres étrangères.»

La désillusion commençait à poindre sur la figure et dans les yeux tristes de la jeune fille.

«Levons-nous tous, donnons-nous la main et prions», leur suggérai-je. Le père, la mère, la fille et moi-même, nous tenant par la main, avons formé un cercle. Nous avons fait cette prière toute simple: «Jésus-Christ, *ton esprit d'amour* vit dans mon coeur. Je te prie de venir dans la vie et dans le coeur de Mary Jones.» Quand j'eus terminé, je vis une larme perler de son oeil et rouler sur sa joue. Je passai mon doigt sur sa douce joue, recueillant cette perle, fruit d'une émotion profonde. En la lui montrant, je m'exclamai: «Mary, regarde ce qui est tombé de ton oeil. Ne te sentais-tu pas belle à l'intérieur quand cette larme s'est formée et a tombé? C'est l'expérience la plus profonde, la plus remplie de joie qu'un être humain puisse ressentir. C'est une émotion religieuse. C'est l'action de *l'esprit divin* en toi; le Christ envahit ta vie. Laisse-le faire. N'aie pas peur. Jamais rien de bon ne meurt en nous avec l'arrivée du Christ. Plusieurs choses merveilleuses prendront vie en toi au fur et à mesure que le Christ viendra vivre en toi. Regarde le ciel, il est bleu. Regarde le gazon, il est vraiment vert. Regarde les fleurs, elles sont vraiment rouges. Pendant que tu faisais ce merveilleux voyage qui t'a fait verser une larme précieuse, tu avais un parfait contrôle de toi-même. Voilà la réalité. Ce n'est pas un stimulus produit artificiellement. Il est authentique. Le monde qui t'entoure n'a pas subi de distorsions et n'a pas disparu dans un brouillard psychédélique. Tu peux avoir confiance dans ce Christ.» À ce moment-là, des larmes coulèrent à flots de ses yeux. Jésus-Christ avait pris contrôle d'elle.

Immédiatement les traits de sa figure changèrent. Ses yeux rétrécis, soupçonneux et rebelles devinrent les yeux radieux, tout grand ouverts d'une fille émerveillée. Ce visage, tantôt rigide, tendu, à l'air presque vieillot, se détendit soudainement. Ses joues redevinrent écarlates et prirent la forme arrondie de celles d'une très jolie jeune fille, comme avant. Aujourd'hui, cette aimable fille consacre sa vie à aider les jeunes, à découvrir que le plus beau *voyage* qu'ils puissent faire, c'est de se tourner vers Jésus-Christ. Lui, *il* peut vraiment vous donner la vie car, lorsque le Christ envahit votre vie, vous ne pouvez pas vous haïr. Vous ne pouvez que vous aimer quand *il* est un morceau de vous-même.

6

LES PARENTS

*Six règles d'or
pour les enfants*

Réussir pour des parents n'a jamais été autant un défi qu'aujourd'hui. Aujourd'hui les jeunes sont brillants, ils ont l'esprit éveillé.

Le professeur de l'école du dimanche s'entendait très bien avec ses élèves. Elle demanda à la classe: «Qu'est-ce que l'histoire de Jonas nous enseigne?»

Un jeune avant-gardiste de huit ans répondit: «Voyager par avion.»

Même si ce ne fut jamais facile, nous sommes tous d'accord pour dire qu'il est plus difficile d'élever les enfants dans le monde d'aujourd'hui.

Aujourd'hui les enfants vivent dans le luxe, ont de mauvaises manières, méprisent l'autorité; ils manquent de respect aux aînés, ils aiment bavarder au lieu de faire leurs devoirs. Aujourd'hui, les enfants sont les tyrans de la famille. Ils ne se lèvent plus quand un aîné fait son entrée dans la pièce et ils contredisent leurs parents. Ils jacassent devant les invités, se conduisent en gloutons à table, se croisent les jambes et tyrannisent leurs professeurs.

Ainsi s'exprimait Socrate, il y a deux mille ans.

Il n'y a pas longtemps, je prenais l'avion pour répondre à une invitation spéciale à participer à une croisade dans l'Est avec mon ami Billy Graham. À mon arrivée, une foule immense était déjà réunie et commençait à remplir un auditorium de 35 000 sièges. Quant à moi, une demi-heure avant le début du service, je vécus un de ces moments inoubliables de ma vie. Grâce à une porte à l'arrière, on me conduisit derrière la scène jusqu'à une roulotte. Mon guide y frappa trois coups. La porte s'ouvrit et là, debout, tout souriant, Billy Graham m'attendait. «Entre Bob, comme tu es gentil d'être venu», dit-il avec chaleur. Nous nous sommes assis seuls, nous avons causé, échangé et prié. Alors l'événement se produisit. Ses enfants, Franklin et Bunnie, entrèrent. Tout à coup, un petit bonhomme d'environ trois ans grimpa en toute hâte les marches de la roulotte et se précipita au milieu de nous tous dans les bras grand ouverts de Billy Graham dont le visage resplendissait de joie. «Grand-papa, grand-papa, grand-papa» cria le petit bonhomme. Je me rappellerai longtemps cette ravissante scène où Billy me présenta avec fierté: «Mon petit-fils», dit-il. Il n'y a pas de prix pour les joies qu'ont les parents quand ils réussissent.

J'aime cette histoire racontée par l'humoriste juif, Daniel Berhman. Il était en train d'expliquer l'humour juif en Israël. L'histoire se passe lors d'une réunion du cabinet; le gouvernement d'Israël cherchait un moyen d'enrayer les difficultés économiques du pays.

Tout à coup, l'un des plus obscurs conseillers bondit de son siège: «J'ai trouvé! J'ai trouvé! Nous allons déclarer la guerre aux États-Unis!»

«Déclarer la guerre aux États-Unis? Êtes-vous m'shuggeh?» (Mon orthographe Yiddish est purement phonétique).

«Non. Ce sera fini dans quelques jours. Ensuite, ils viendront et occuperont le pays. Ils vont rebâtir le pays. Ils nous donneront de nouvelles manufactures. Ils nous feront un *Plan Marshall*. On ne peut perdre!»

Dans son agitation tout le cabinet fut d'accord, à l'exception d'un seul homme. On rapporte que ce fut Dayan. Il demanda simplement: «Qu'arrivera-t-il si nous sommes vainqueurs!»

«Qu'arrivera-t-il si nous sommes vainqueurs?» Avant de vous parler des valeurs de la paternité, de la maternité, laissez-moi vous dire qu'elles sont les récompenses de la victoire? C'est la fierté, la joie, l'amour tous les jours de sa vie.

Élever des enfants dans le monde d'aujourd'hui, c'est une tâche longue, mais en réalité si brève, c'est une tâche difficile, mais d'une telle beauté, c'est une tâche pénible mais tellement remplie d'émotions que les récompenses valent bien tous les risques que cela peut comporter, tout le travail, les sacrifices, l'anxiété, les pleurs.

SIX RÈGLES D'OR POUR LES PARENTS

1. Soyez des parents responsables

Croyez à votre réussite. Mais oui, croyez que vous êtes capables de réussir comme parents. Une jeune épouse et son mari s'étaient fait stériliser avant le mariage parce que, au dire de la femme, elle avait peur d'élever des enfants dans le monde d'aujourd'hui.

Marguerite et Willard Beecher ont écrit un excellent livre sur le sujet: *Parents On the Run* (Parents en fuite). Les auteurs constatent que les parents vivent dans la peur. Ça se comprend si vous considérez les dangers, les tentations et les péchés qui guettent les jeunes d'aujourd'hui dans leur mode de vie; la grande anxiété qui règne est le résultat de la confusion semée par les conseils qu'on donne aux parents.

C'est à juste titre que les auteurs de *Parents On the Run* ont signalé que les parents modernes ont été les victimes d'une déplorable forme d'éducation qui les a conduits à croire qu'ils ne devaient pas oser faire confiance à leur gros bon sens pour l'éducation de leurs enfants. Les dernières phrases du livre sont d'une grande beauté. «L'arbre penche du même côté que l'arbrisseau. Qu'à la base de votre vie on retrouve un être plein de confiance en ses ressources, un être qui assure lui-même le développement de ses talents, en particulier celui de produire, et vos enfants vivront de même. Alors vos enfants seront votre joie. Vous serez leur joie.»

Soyez assuré que le bonheur dans le mariage, c'est une terre fertile pour une paternité et une maternité heureuses.

Un couple y allait de ses petites querelles hebdomadaires au sujet de leurs familles.

«Tu ne dis jamais rien de gentil au sujet de ma famille», se plaignait l'épouse.

«Oui, j'en dis», contra le mari. «Je pense que ta belle-mère est beaucoup plus gentille que la mienne.»

Bâtissez un ménage fort et heureux et soyez aussi assurés que vous allez certainement réussir comme parents. Il vous arrivera souvent de douter. Appuyez votre confiance sur la promesse de Dieu:

Instruis l'enfant de la voie à suivre, devenu vieux, il ne s'en détournera pas. (Prov. 22:6)

Un article de journal intitulé *Mon père* illustre bien ceci.

À l'âge de 7 ans, voici ce que je pensais: mon père est la personne la plus intelligente au monde. Il connaît tout.

À 17 ans: mon père n'en connaît pas autant que je pensais.

À 21 ans: mon père ne sait rien, comparé à moi.

À 35 ans: mon père connaissait beaucoup plus que je ne croyais.

À 50 ans: mon père a toujours eu raison.

Laissez-moi partager avec vous le *credo des parents* que j'ai rédigé pour madame Shuller et pour moi-même.

Le credo des parents

Je crois que mes enfants sont un don de Dieu et l'espérance d'un avenir nouveau.

Je crois qu'il y a des possibilités incommensurables qui sommeillent dans chaque garçon et dans chaque fille.

Je crois que Dieu a tracé un plan parfait pour leur avenir et qu'ils seront toujours dans l'ambiance de son amour; ainsi donc,

Je crois qu'ils vont grandir et, pendant les quinze premières années, qu'ils vont d'abord se traîner, qu'ils vont ensuite commencé à marcher, puis se tenir debout et lever leurs mains vers le ciel pour atteindre enfin la stature parfaite d'homme ou de femme.

Je crois qu'entre l'enfance et l'âge adulte ils peuvent être façonnés et ils le seront, comme un arbre l'est par le jardinier, comme le vase d'argile par les mains du potier, comme les rivages de la mer par le contact des vagues géantes, par le foyer et par l'église, par l'école et par la rue, par leurs yeux et leurs oreilles, par sa main sur leurs mains, par l'esprit du Christ dans leur coeur! Ainsi,

Je crois que dans la mesure du possible ils doivent acquérir la maturité dans les rires et dans les larmes, dans l'épreuve et dans l'erreur, dans les récompenses et les punitions, dans l'affection et la discipline jusqu'au jour où ils déploieront leurs ailes et s'envoleront de leur nid. Ô Dieu, je crois en mes enfants. Aide-moi aussi à vivre de telle sorte qu'ils puissent toujours croire en moi et aussi en toi.

2. Soyez des parents attentifs

Les enfants recherchent l'attention et en ont besoin. S'ils ne l'obtiennent pas de vous, ils iront la chercher. Ce qu'ils veulent vraiment, c'est d'être guidés dans le processus évolutif de la découverte d'eux-mêmes.

Dans les travaux des deux mille garçons et filles de treize à dix-neuf ans inscrits à la compétition annuelle des arts créatifs organisée par *Youth*, on a pu déceler l'effort que fait l'adolescent pour se trouver une identité. (*Youth* est un magazine pour les jeunes des églises protestantes canadiennes). Le gagnant de la compétition Pat Werkman l'exprimait dans «La complainte des adolescents».

Je suis ici,
* mais je ne sais pas où je suis.*
Je sais d'où je viens,
* mais je ne sais pas où je vais.*
Je sais mon nom,
* mais je ne sais pas qui je suis.*
Je vis les plus beaux jours de ma vie,
* et je pleure.*

Écoutez-les quand vous les entendez. Joignez-vous à eux quand vous êtes avec eux.

Prêtez attention à la demande de votre enfant quand il dit: *Fais-moi une lecture»* ou «*Raconte-moi une histoire».* Ne considérez *pas* cela comme une *interruption* mais comme la plus honorable invitation jamais reçue. C'est une invitation à façonner une âme immortelle.

3. *Soyez des parents disponibles*

Soyez tout simplement là quand on a besoin de vous. Il faut éviter deux extrêmes.

La possession excessive. Dans ce cas, les parents exercent un contrôle sur l'enfant et empêchent ainsi le développement d'un individu unique. Ne forcez jamais l'enfant à entrer dans le cadre imaginaire que vous avez fabriqué pour lui.

La permissivité excessive. Dans ce cas, les parents omettent de façonner, de mouler, de former le caractère de l'enfant. Il n'y a pas de discipline. La vie devient une rivière sans rivage qui se perd toujours dans un marais.

Soyez tout simplement disponibles pour vos enfants. Posez des questions. Intéressez-vous à leurs tâches scolaires. Répondez à leurs questions. Soyez disponibles pour les amener à l'église. Vous êtes occupés? Des mois à l'avance, inscrivez leurs activités dans votre agenda.

4. *Soyez affectueux*

En paroles!
En gestes!
En partage!

L'amour demeure toujours le mot divin. Aimez votre enfant comme quelqu'un qui a besoin de vous éperdument. Remontez loin dans le temps et imaginez que cet enfant c'est *vous*. Mettez-vous dans sa peau et répondez à son amour. Aimez votre enfant. Que peut-on dire de plus? Manifestez-lui un amour absolu, aveugle. Maintenant et toujours.

5. *Soyez un parent autoritaire*

Le livre du docteur James Dobson intitulé «*Dare to Discipline*» (Osez discipliner) est peut-être le meilleur sur le sujet.

Au début du mouvement progressiste en éducation, un théoricien enthousiaste décida d'enlever la chaîne qui fermait la clôture de la cour de la maternelle. Il croyait que les enfants se sentiraient plus libres de leurs mouvements sans cette barrière visible autour d'eux. Une fois la barrière enlevée cependant, les enfants se groupèrent près du centre de la cour de récréation. Non seulement ne sortirent-ils pas de la cour mais ils ne s'aventurèrent même pas aux abords du terrain.

Châtier chez vos enfants toute résistance à l'autorité. Toute organisation a besoin d'un leadership autoritaire sinon il en résultera de l'anarchie. De temps à autre, les enfants éprouveront votre leadership, le défieront même. Si cela se produit,

sous aucun prétexte vous ne devez être un perdant.
Vous devez être le leader autoritaire de la famille.
Il faut châtier toute résistance à l'autorité. Qui
aime bien châtie bien. Cultivez l'art de la fessée.
Voici quelques règles à suivre:

(1) Donnez toujours la fessée quand l'enfant
défie ouvertement l'autorité.

(2) Soyez certains que l'enfant a été préalable-
ment averti: «Obéis, sinon ce sera comme si
tu me demandais de te donner la fessée.»

(3) Donnez une fessée vigoureuse, mais avec
beaucoup de précautions. Ne meurtrissez ni
ne blessez jamais le corps de votre enfant.
Servez-vous du plat de la main sur la partie
charnue des fesses. Ne le frappez jamais à la
tête.

(4) Que les fessées soient rares et en des occasions mémorables. Si vous donnez la fessée
pour la moindre peccadille enfantine, elle
n'aura plus aucune signification.

(5) Expliquez-lui le sens de votre geste avec
grand soin, dites-lui que c'est uniquement
par amour que vous le faites et que ce même
amour vous contraint à lui enseigner qu'à
l'école de la vie, on doit sévèrement expier
les délits graves.

(6) Accueillez-le dans vos bras quand il pleure le coeur contrit.

(7) Après la fessée, au moment où vous le serrez dans vos bras, priez avec lui avec beaucoup d'amour.

(8) Attendez les résultats habituels. L'enfant et son père (sa mère) en sortiront plus unis après l'événement.

(9) Soyez honnête. Soyez assez franc pour lui dire que vous aussi, parent, avez des imperfections. Vous faites des erreurs aussi et vous en souffrez beaucoup aussi. Grâce à cette franchise, vous cessez d'être un hypocrite à ses yeux. Une telle sincérité va gagner son respect.

6. *Soyez des parents ambitieux*

Disciplinez-les. Maintenant, dédiez-leur ce poème.

Des racines et des ailes

Donnez-leur la nourriture,
Donnez-leur le vêtement;
Ils sont nécessaires
Dieu le sait.
Donnez-leur des bicyclettes
Et des bottes de cowboy,
Mais avant tout

Donnez-leur des racines.
Soyez leur guide.
Vous ne serez pas toujours
À leurs côtés.
Avec toutes ces choses,
Surtout ne l'oubliez pas,
Donnez-leur des ailes.
Qu'ils prennent leur essor.
Qu'ils voient la vie comme une porte ouverte.
Vous oubliez peut-être
D'autres choses,
Mais donnez-leur des racines,
Et donnez-leur des ailes!

Betty S. Burnette

Un des conseils les plus utiles que je reçus me fut donné par le principal d'une école secondaire. L'aîné de nos cinq enfants y faisait son entrée. Le principal s'adressa aux parents en ces termes: «Donnez à vos enfants des orientations. Les étudiants du secondaire qui en ont sont à l'abri des ennuis. N'ayez crainte d'inculquer de force à vos enfants vos ambitions personnelles non réalisées. Rappelez-vous que votre enfant peut modifier ses orientations au secondaire et au collège. Mais ils doivent poursuivre des buts durant ces années de secondaire.» Mon épouse et moi avons donc suivi ce conseil et avons réellement accordé la première priorité à cette recommandation.

Soyez pour vos enfants une source d'inspiration. Je connais nombre de parents qui ont cessé de fumer et de prendre un verre pour être pour leurs enfants des exemples vivants de la plus haute inspiration. C'est un fait reconnu qu'aucun jeune ne prend de la drogue sans avoir auparavant essayé une cigarette. «Mes parents boivent des cocktails pour se détendre. Pourquoi ne prendrais-je pas de la marijuana ou des comprimés?» en déduit un jeune. L'argument peut avoir plus ou moins de valeur. Néanmoins, il nous coupe l'herbe sous le pied. Cessez de fumer, cessez de boire! Et soudainement votre enfant, grâce au souffle inspirant de votre exemple, apprendra à abandonner ses propres mauvaises habitudes.

Et maintenant, donnez-leur une foi vivante. Dieu est vivant, que vous y croyiez ou non! Découvrez Dieu vous-même. Allez à *sa* recherche. Achetez-vous une traduction moderne de la Bible. Lisez-la. Recherchez une église où il y a de la joie. Tournez-vous vers le Christ. Découvrez ce qu'*il* pense de Dieu, de la foi, de la prière et de la vie éternelle. Soyez fidèle à sa foi et vous serez en très bonne compagnie. Et maintenant, partagez cela avec vos enfants. C'est encore vrai.

Une famille qui prie reste unie.

7

LES MAÎTRESSES DE MAISON

Que Dieu vous bénisse, maîtresses de maison

En dernière analyse, le succès dans le mariage et dans la famille dépendra pour une large part de l'épouse au foyer. J'attribue surtout mon succès familial à mon épouse, Arvella Schuller, une maîtresse de maison qui réussit. Voici le texte intégral du sermon qu'elle a prononcé à l'église, le jour de la fête des mères. Pour votre dernière leçon de vie familiale heureuse, écoutez ses conseils. Sa vie a été couronnée de succès.

Je ne crois pas qu'il existe aujourd'hui au 20e siècle une classe de gens qui ait davantage besoin de la bénédiction de Dieu que les maîtresses de maison américaines.

Ici, dans ce pays, la maîtresse de maison a l'impression que sa carrière ne la comble pas, qu'elle est sans attrait et démodée. Elle croit avoir besoin de jouer un rôle plus important dans la société, elle croit qu'il faut très peu d'envergure pour être maîtresse de maison. De fait, pour elle, tenir maison, c'est non seulement démodé mais c'est tout à fait stupide.

Ainsi donc les maîtresses de maison affluent sur le marché du travail pour exiger un statut égal à l'homme, pour se réaliser, pour se faire respecter dans la société. Puis on a rapporté dans la presse que Khrushchev en Russie avait annoncé après la Deuxième Guerre mondiale que toutes les femmes qui avaient les forces suffisantes seraient appelées à travailler à plein temps et qu'on établirait des garderies pour prendre soin des enfants. Le Kremlin a cessé de bâtir des garderies parce que maintenant il y a un nombre sans cesse croissant d'épouses soviétiques qui restent à la maison, leurs maris ayant un revenu suffisant. Dans un article publié par le journal officiel du gouvernement, on y parle de re-définition, de réévaluation du rang de la maîtresse de maison au sein de la société. Un correspondant du gouvernement a même proposé qu'une mère qui demeure à la maison et prend soin de la famille devrait avoir droit à une pension du gouvernement pour son importante contribution à la société.

Jetons un regard neuf sur l'entretien ménager aux États-Unis. Il faut y penser en termes de carrière plus importante, plus vaste que la plupart des maîtresses de maison l'imaginent. Nous sous-estimons tous leurs rôles et toutes leurs tâches. Il est vrai que nous sommes déjà des maîtresses de maison libérées. L'ère des machines nous a libérées d'un grand nombre de travaux pénibles. Les lessiveuses-sécheuses, les lave-vaisselle, les gâteaux tout préparés, les aliments qu'on n'a qu'à réchauffer, les fours auto-nettoyants, tout cela nous libère de beaucoup de travaux pénibles dans la maison. Au fur et à mesure que les machines réduisent le travail physique de la maîtresse de maison, son rôle se complique et prend plus de valeur. Cela prend beaucoup d'intelligence et de savoir-faire pour être une maîtresse de maison efficace.

Jetons un coup d'oeil aux rôles qu'on reconnait à une maîtresse de maison. C'est aussi compliqué que de gérer une petite entreprise. Comme maîtresse de maison d'une famille de sept, je dois d'abord savoir planifier mes heures. Ce n'est pas peu que de voir à préparer cinq enfants selon les horaires différents de cinq écoles. Ajoutez à cela les heures de leçon de piano, les rendez-vous chez le médecin et le dentiste, les offices religieux, la pratique de la chorale, l'emploi du temps de mon mari et l'intégration de mon propre horaire dans le leur.

En tant que maîtresse de maison, je dois voir aux besoins physiques de ma famille, que nul ne manque ni de repos convenable, ni d'exercice, ni de nourriture, ni de vitamines et de minéraux. J'ai besoin des connaissances d'une diététicienne et d'une experte en alimentation.

*Dans notre foyer, je suis la grande respon-
sable des achats. Alors que dans les grosses
maisons d'affaires, les acheteurs ont droit à
une période de formation intensive, je dois,
avec très peu de préparation, faire les achats
nécessaires de nourriture, de vêtements,
d'appareils divers et d'articles ménagers. Je
dois savoir où et comment faire les meilleurs
achats.*

*Puisque nous avons des enfants, il me faut
un bon bagage de connaissances sur la
psychologie de l'enfant et ses différents com-
portements. Je dois connaître l'enfant aussi
bien qu'un expert.*

*Parmi mes attributions de maîtresses de
maison, il y a celle du comptable qui doit étirer
le budget familial pour y inclure les dépenses
imprévues et il y a celle de trésorier. (Mon mari
est le directeur général de notre entreprise
familiale. Ne le saviez-vous pas? Je lui accorde
deux votes et je n'en reçois qu'un.)*

*Puis, il y a le rôle d'expert en classement.
L'amoncellement de courrier qui nous arrive
m'oblige à le trier, à le classifier et à mettre
dans le tiroir du classeur les papiers
d'importance. Il y a les nombreux certificats
de garantie, ceux du rasoir, du malaxeur, de
l'aspirateur, de l'appareil-photo, du fer à
friser, en plus des feuilles d'instructions en cas*

de panne. Il y a tous ces dossiers sur l'impôt, la sécurité sociale, les assurances personnelles, celles de la voiture, de la maison, les baux, tous comportant des caractères minuscules à déchiffrer. (Cela me rappelle que je n'ai jamais lu les petits caractères sur mon contrat de mariage.)

À toutes ces fonctions s'ajoutent celles de chauffeur, de bonne, d'arbitre dans les rivalités fraternelles, d'infirmière, d'épouse, de mère, de reine!

*Un regard franc, honnête sur les différents aspects du rôle de la maîtresse de maison nous fera découvrir qu'il s'agit d'**une carrière vaste, plus compliquée, plus complexe que ne l'admettent la plupart des épouses et que ne le comprennent les maris;** il s'agit d'un rôle sans cesse changeant dans un monde en évolution.*

Il paraît que vers l'an 2000, chaque famille possédera sa console d'ordinateur reliée au complexe d'une unité centrale l'aidant à établir son budget et à calculer les impôts; facilitant la participation aux travaux scolaires et la planification des achats, des menus; rendant plus accessibles les bibliothèques et les sources de référence. Le magasinage pourra même se faire à domicile, grâce à des achats télécommandés; le téléscripteur transmettra au foyer les journaux, les revues et les livres.

Il y aura des cuisines automatisées. La maîtresse de maison préparera son menu pour la semaine, emmagasinera la nourriture dans des espaces réservés à cette fin et donnera ses instructions à son ordinateur. À l'heure prescrite, des bras mécaniques sortiront la nourriture choisie d'avance, la feront cuire et la serviront.

Les maîtresses de maison feront leur magasinage par vidéophone. Plusieurs épouses pourront avoir une bonne-robot entraînée aux exigences d'un foyer particulier et programmée pour des tâches déterminées.

Un robot à bras multiples lavera les fenêtres, balaiera les planchers, passera l'aspirateur sur les tapis, époussettera les meubles, apprêtera le café et ramassera les vêtements de votre mari.

Il y aura même des pilules anti-grognons pour ceux qui sont mentalement bien mais qui ont de mauvais caractères chroniques. D'aucuns prétendent que des drogues affectant la personnalité pourraient être à la disposition du public, et ainsi, grâce à elles les maris seraient toujours ambitieux, les épouses toujours compréhensives, les enfants toujours sages.

Aux États-Unis, la maîtresse de maison du 20e siècle éprouve des difficultés au cours de sa carrière parce qu'elle ne l'estime pas suffisamment et n'en comprend pas toutes les implications. *En outre, la maîtresse de maison a beaucoup de mal au début de sa carrière parce qu'elle n'a été ni préparée ni formée adéquatement.*

Les mères se font un point d'honneur de donner à leurs filles ce qu'il y a de mieux pour qu'elles apprennent la danse, la musique et les arts; et c'est très bien. Mais elles devraient aussi préparer leurs filles dans l'art d'être des maîtresses de maison efficaces; elles devraient leur montrer l'aspect créatif et positif du foyer.

Le docteur Samuel Kling, avocat spécialisé dans les causes de divorce et auteur du livre **The Complete Guide to Divorce** *(Guide complet du divorce), prétend que la préparation inadéquate est la cause principale des divorces et des ruptures de ménage. On s'entraîne pour tout sauf pour le mariage. Le mariage peut faillir uniquement par manque de préparation intelligente. Il faut beaucoup d'entraînement pour devenir un artiste ou un musicien accompli. Qu'arriverait-il si l'*establishment* exigeait des cours sur le mariage en première année de secondaire? On ne dépense rien pour l'initiation au mariage et l'organisation d'un ménage.*

À ce que je sache, tout ce qu'on a trouvé dans nos écoles pour préparer nos jeunes filles consiste en un cours d'économie familiale et en un cours de biologie des sexes, répartis sur deux semestres. Résultat: trop de couples se précipitent vers l'autel sans aucune éducation, sans aucune préparation au mariage et à l'art d'édifier un foyer. Qu'arriverait-il si nos écoles pouvaient dispenser des cours tels que ceux-ci: **Comment choisir un conjoint; différences entre la personnalité de l'homme et celle de la femme; le rôle d'un foyer; l'importance du foyer pour l'individu, la communauté et le pays?**

*Je dis que la carrière de maîtresse de maison est d'**une grande importance**; pour y réussir, il faut la classer parmi celles qui exigent de l'**imagination**; en effet, elle demande beaucoup d'esprit créateur et réalisateur. Par nature, les femmes sont créatrices. La maternité débute par la plus grande expérience connue des hommes, celle de prendre part à la création d'un être humain à l'image de Dieu.*

Si les maîtresses de maison n'ont plus de goût pour les travaux domestiques, c'est uniquement parce que l'âge de l'automation a tué chez elles beaucoup de leur créativité.

Par exemple, je me rappelle comment les yeux de maman Schuller brillaient quand elle apportait sa tarte aux pommes, la plus délicieuse que je n'aie jamais mangée. C'était sa création! Elle avait elle-même cueilli ses pommes dans un pommier de la cour, et puis s'était mise à créer sa tarte. Beaucoup de ce genre de créativité a disparu de notre foyer 20e siècle à la cuisine instantanée. Il va falloir un défi aux maîtresses de maison pour qu'elles canalisent toute leur imagination créatrice et tout leur talent en vue de faire encore du foyer et de la famille une puissante institution. Un foyer, c'est beaucoup plus que quatre murs, beaucoup plus qu'un gîte où un groupe de personnes se réunit pour manger et dormir ensemble.

Le foyer, c'est l'endroit où les membres de la famille apprennent ensemble et où on enseigne les plus importantes leçons de la vie. Smiley Blanton, l'éminent psychiatre, dit: «Quatre-vingts pour cent des patients qui sont venus me consulter ont eu des problèmes parce qu'on ne leur avait pas enseigné les bonnes manières au cours de leur enfance. Devenus adultes, ils ont commis des erreurs et on les a mis de côté. Ils ne pouvaient pas jouer le grand jeu de la vie parce qu'ils n'en connaissaient pas les règles.»

Le foyer, c'est l'endroit où la famille grandit unie. Un étudiant de collège écrivait en hommage à sa mère: «Merci d'avoir grandi près de moi, en me précédant toujours.»

Le foyer, c'est là où la famille vit unie. Nous y paraissons parfois à notre mieux, parfois à notre pire. Robert Frost a dit: «Le foyer, c'est l'endroit où on doit te laisser entier quand tu te présentes.» Quelqu'un d'autre a dit: «Le foyer, c'est l'endroit où les grognons sont les mieux traités.» Le foyer, c'est l'endroit où les grands sont petits et où les petits sont grands!

*Comme maîtresses de maison, nous avons besoin de l'imagination créative que Dieu nous a donnée pour nous demander: «Quels sont les besoins de ma famille? Quel est le vrai rôle de notre foyer?» Pour nous qui vivons une vie trépidante, je sais que **notre foyer doit être une oasis** où on peut encore faire le plein et refaire ses forces pour pouvoir nous relancer dans le tourbillon de la vie.*

Pour cette raison, parmi nos règlements nous en avons un, unique en son genre: pas de musique rock. Nous croyons qu'elle fait trop de bruit, qu'elle cause trop de tensions et détruit l'atmosphère de calme et de quiétude.

J'admire le jugement créateur et indépendant de la femme d'un juge qui refuse la télévision chez elle. Il s'agit pour elle d'une interruption qui ajoute de la confusion à la maison. Elle croit que c'est parce qu'ils n'ont pas de poste de télévision que ses enfants ont appris à être beaucoup plus créateurs dans leurs activités quotidiennes.

Osez être différentes! Osez être créatives!

La création de souvenirs heureux pour la famille constitue une autre fonction de la maîtresse de maison qui exige de l'imagination. Sigmund Freud indiqua que ce que l'on appelle le caractère repose sur les traces laissées dans la mémoire au cours de la plus tendre enfance.

Pouvez-vous nommer quelques-uns des plus beaux souvenirs d'enfance? Il est très probable que ce sont des choses simples dont vous vous souvenez. C'est pour cela que nous accordons tant d'importance aux petites fêtes familiales. La chandelle qui ne s'éteint pas sur le gâteau de fête est déjà traditionnelle chez nous. Les enfants ne peuvent pas résister à l'envie de savoir quelle chandelle continuera à scintiller après avoir été soufflée.

Madame Neutra, veuve de feu Richard Neutra, parlait très récemment avec enthousiasme des souvenirs de son enfance. «J'ai eu la chance de grandir en compagnie de mes trois soeurs dans l'atmosphère d'un mariage heureux et au milieu de merveilleux souvenirs d'anniversaires de naissance et de célébrations de Noël. Ma mère a toujours eu le don de rendre ces événements inoubliables. Par exemple, sous l'inspiration du moment, elle décidait de préparer un très bon dîner, dressait la table comme pour un jour de fête, nous parait de nos plus beaux atours et elle-même revêtait sa plus belle robe longue. Mon père endossait son smoking et c'était la fête parce que nous formions une famille heureuse. Toutes les filles faisaient valoir leurs talents: piano, chant, récitation de poèmes. Mon père, lui, y allait d'un discours.»

Madame Neutra concluait: «Ces souvenirs me font croire que notre caractère n'est pas uniquement le résultat de gènes héréditaires mais aussi de l'exemple de nos parents et de l'atmosphère sympathique au sein de laquelle nous avons grandi.»

On avait demandé à une jeune femme dont le mari était devenu chômeur quel était son secret pour demeurer si joyeuse, si positive. Elle dit: «Je me rappelle les repas de maman en périodes troublées. Elle lésinait sur tout afin de pouvoir préparer un repas un peu spécial. (C'était durant la Crise.) Elle faisait cela pour montrer à notre famille qu'elle avait confiance en son mari et en son habileté à passer cette période difficile.»

Mon mari et moi avons tous deux grandi dans des foyers où l'on récitait les grâces à la fin du repas. Nous avons adopté cette coutume pour notre foyer, les commençant même pendant que les plus jeunes enfants terminaient leur dessert.

*Au cours de la Deuxième Guerre mondiale,
un de mes frères qui était dans la marine se
trouvait dans le Sud de l'océan Pacifique et un
autre en Europe. Plus d'une fois, ils répondirent à nos lettres disant qu'ils avaient été
réconfortés à la seule nouvelle que les membres
de la famille priaient ensemble chaque soir en
se tenant par la main. Ils se souvenaient
d'avoir été un membre de ce cercle et cela leur
donnait maintenant le courage dont ils avaient
besoin.*

*Les mémoires des cadets de notre famille
sont déjà gravées par ces prières qu'ils récitent.
Une de leurs préférées, apprises à l'école du
dimanche, en était une de reconnaissance:*

*Merci pour nos coeurs joyeux,
Pour le soleil et le temps pluvieux
Merci pour la nourriture que nous man-
geons,
Merci d'être ensemble.* **Amen.**

*Une femme me racontait récemment qu'elle
avait trouvé le moyen de se détendre à la seule
pensée de sa mère. Quand les choses allaient
mal, que l'atmosphère devenait tendue, elle
laissait là son travail, s'en allait dans sa chambre à coucher et en fermait la porte. Quelque
temps plus tard, elle ouvrait la porte et en
ressortait complètement changée, paisible,
calme et heureuse. Un jour, la curiosité de sa*

fille la poussa à ouvrir tranquillement la porte de la chambre à coucher. Elle vit sa mère à genoux au bord du lit, puisant force et puissance dans la prière. Cette femme, qui se souvenait de la thérapeutique de sa mère, avait découvert que le même pouvoir lui était accessible à elle aussi.

La carrière de maîtresse de maison est une **carrière vaste,** *une carrière qui requiert de* **l'imagination,** *une carrière* **des plus importantes!** *Mon thème comme mère et comme maîtresse de maison est simplement celui-ci:*

Il y a des hommes qui construisent des ponts,
D'autres dessinent des plans de gratte-ciel,
Mais une mère façonne les hommes de demain.

«L'aigle retourne son nid de telle sorte que ses aiglons puissent voler.» Voici un verset de la Bible dont je me sers pour préparer mes enfants en vue de l'heure où ils seront des adultes. J'ai une vive conscience de cette responsabilité. C'est important pour moi, mère de famille, de savoir que mes enfants ne sont pas vraiment miens, mais un cadeau, un prêt du Seigneur.

> *Nous te donnons ce qui t'appartient*
> *Quel que puisse être le don.*
> *Tout ce que nous possédons n'appartient*
> *qu'à toi;*
> *C'est un prêt de toi, Seigneur.*

Nos enfants sont un prêt du Seigneur, un prêt qu'il faut façonner, instruire, conduire de telle sorte qu'on retrouve demain des paroles d'amour, de la foi véritable, de l'inspiration et de l'encouragement pour combler l'absence de valeur chez les masses.

Quand un garçon ou une fille plonge sa petite main dans la vôtre, elle peut être souillée de crème glacée au chocolat, encrassée pour avoir joué avec le chien, elle cache peut-être une verrue sous le pouce droit ou un pansement autour du petit doigt, mais ce qu'il y a de plus important à retenir de ces mains, c'est qu'elles sont les mains de l'avenir. Un jour, ces mains tiendront peut-être la Bible ou un revolver, joueront du piano ou exploiteront une maison de jeu, panseront avec douceur une blessure sanguinolente ou trembleront sans contrôle parce qu'elles seront celles d'un malheureux adonné à la drogue.

Actuellement, cette main est dans la vôtre; elle demande à être aidée, à être guidée. Elle représente une mini-personnalité à part entière que l'on doit respecter en tant qu'individu distinct dont la croissance vers l'âge adulte progresse jour après jour sous votre respon- sabilité.

La plupart d'entre nous n'ont pas le senti- ment d'être à la hauteur dans leur rôle de maîtresse de maison et de mère de famille. Nous ne savons pas comment venir à bout de toutes nos tâches: enfants malpropres, linge sale, horaires bouleversés, maisons tellement automatisées qu'elles deviennent automatique- ment défectueuses. Nous avons aussi le souvenir idéalisé de la mère parfaite que fut la nôtre et des buts irréalistes que nous nous som- mes fixés pour nous-mêmes. Ajoutez à cela la terrible responsabilité de savoir que si nous n'accomplissons pas notre devoir, nos enfants vont grandir et devenir demain des ratés en marge de la société.

Comment vous et moi pouvons-nous être des maîtresses de maison qui réussissent?

Voici cinq suggestions que j'ai ex- périmentées avantageusement en accomplis- sant ce travail.

1. Nous devons penser positivement

*Il est de la plus haute importance que nous développions une attitude mentale positive. Ce n'est pas tellement ce que nous **faisons** qui* *compte, mais ce que nous **sommes.** On développe cette attitude mentale positive en s'entourant de gens qui ont des idées et des projets constructifs. Les livres que nous lisons, la télévision que nous regardons, la musique que nous écoutons, les amis dont nous nous entourons, tout influence fortement nos schèmes de pensées mentales. Il faut s'assurer que ces influences soient **positives.***

2. Nous devons définir et comprendre notre rôle

Pour moi, mon mari passe en premier, mes enfants en second et ma carrière de femme de pasteur et les nombreuses responsabilités qui s'y rattachent en troisième.

Deux femmes, mes amies, occupent des positions de cadres supérieurs dans le monde des affaires. Plusieurs hommes seraient honorés d'être à leurs places. Même ces femmes de carrière qui ont du succès s'accordent rapidement à dire que leur mari passe en premier, leur famille en second et leur carrière en troisième. Elles ont un mariage, un foyer et une carrière couronnés de succès.

3. Nous devons vivre notre foi

Cette semaine, nous avons eu une lettre d'une institutrice de la génération d'aujourd'hui. Depuis l'enfance, elle n'avait nullement été mêlée avec une quelconque forme de religion organisée. En cherchant une émission de télévision pour son enfant, elle est tombée sur **Hour of Power** *(L'heure de la puissance) et sa lettre se lit comme suit: Je commence à me rendre compte que ces élèves auxquels j'ai enseigné et qui croient en Dieu ont un esprit plus constructif dans leur approche de la vie. Quelque part en cours de route, ces enfants ont dû être en contact avec des gens dont les actes étaient empreints de moralité. Tout a commencé avec leurs parents. Quand je rencontre ces parents dont* **la vie quotidienne repose sur leurs croyances,** *je comprends pourquoi leurs enfants les respectent.*

4. Quelle place occupe Jésus-Christ dans votre foyer?

Pour notre foyer, nous avons adopté le leit-motiv suivant:

Jésus-Christ est le **chef** *de la maison; Hôte invisible à chaque repas; Celui qui, en silence, tend l'oreille à chacune de nos conversations.*

Cela fait sûrement toute la différence. Je ne sais pas comment enseigner aux enfants les valeurs les plus fondamentales de la vie sans parler de Dieu.

Quand notre famille était plus restreinte, il y avait une chaise de trop à notre table; et il était entendu que le Christ était assis sur cette chaise, avec nous.

5. Le Christ est-il le roi de ma vie?

L'égocentrisme est responsable des problèmes que nous rencontrons dans le monde du travail et dans nos relations personnelles. C'est un mode de vie centré sur soi qui cause des dommages à l'intérieur du foyer. Le seul moyen de vaincre l'égocentrisme, c'est de pratiquer l'altruisme, c'est de placer le Christ au centre de notre vie. Je lui ai demandé de prendre en charge ma vie de jeune fille et c'est lui qui fait toute la différence.

Il faut que quelqu'un soit roi! Placez votre confiance dans celui qui a calmé les eaux. Quand il est roi, il est là, disposé à vous aider à maîtriser n'importe quelle situation. Quand viendront les orages, les fondations de votre foyer demeureront inébranlables.

Mon mari a reçu cette lettre d'une mère:

Je suis la mère de deux filles, l'une de dix-huit ans, l'autre de seize ans. L'été dernier, ma fille de dix-huit ans a terminé son secondaire avec une mention en musique. Elle a travaillé durant ce dernier été pour épargner de l'argent et payer son collège. En septembre, elle vint nous dire à son père et à moi: «Je quitte le foyer. Je m'en vais vivre dans une commune avec des garçons et des filles.» Vous pouvez vous imaginer le choc que nous avons reçu. Rien de ce que nous avons pu lui dire n'a changé quoi que ce soit.

Elle disait qu'il lui fallait découvrir ce qu'elle voulait vraiment. Mon mari et moi nous sommes retrouvés tous deux sous les soins du médecin. Pensez donc, notre fille n'avait jamais quitté le foyer, elle avait toujours eu ce dont elle avait besoin! Trois semaines s'écoulèrent sans un seul mot de sa part. Puis un soir, elle appela: «Maman, je suis désolée de n'avoir pas écrit, mais ici nous vivions au coeur des montagnes et il est très difficile d'aller à la ville. Ma compagne et moi avons fait de l'auto-stop pour venir téléphoner. J'ai souffert de la dysenterie à cause de l'eau. Nous quittons les lieux maintenant. Nous sommes en route pour San Francisco. Je t'en prie, ne t'inquiète pas à mon sujet. Je vous aime toi et papa. Je suis tellement mêlée. Je vais bientôt savoir ce que je veux.» Vous pouvez donc vous imaginer dans quel état j'étais.

Le lendemain, j'étais hospitalisée. Ils ont **diagnostiqué** *une tension nerveuse. Un diman-*

*che, j'ouvris le téléviseur et c'était votre émission **Hour of Power**. Je n'en avais jamais entendu parler, aussi je continuai de la regarder. Quand vous êtes apparu sur le petit écran, il m'a semblé que c'était à moi seule que vous parliez. Vous avez dit quelque chose au sujet de la foi, vous conseilliez de laisser Jésus-Christ nous guider. Quelque chose m'a envahie. À compter de ce dimanche, j'ai mis la main de ma fille dans la main de Jésus et je lui en ai laissé le soin. Tous les matins, je me suis agenouillée à côté de mon lit et j'ai prié: «Jésus, je mettrai mes mains dans les **tiennes,** et **tu** prendras sur **toi** tous mes ennuis.»*

*Il y a six semaines, ma fille m'appela et me dit: «Maman, puis-je revenir à la maison?» J'avais désespéré d'entendre ces paroles. Elle travaillait dans un hôpital de San Francisco et elle dit qu'elle avait trouvé sa voie: être une véritable infirmière. Elle est revenue à la maison, elle fait son stage d'étudiante en **nursing** et elle adore cela.*

Je sais que c'est Jésus qui l'a ramenée à la maison. Il a pris soin d'elle. Il l'avait tenue par la main de la même manière qu'il m'avait tenue par la main.

Vivez, en compagnie du Christ, une carrière glorieuse ici-bas et pour l'éternité!

16 CARTES DE MOTIVATION

Que vous pourrez afficher dans votre maison, bureau ou salle d'attente, à l'école enfin, partout.

Chacune exprime un message positif.

Si le silence est d'or, si la parole est d'argent, le SOURIRE est un diamant.	« Tout ce que votre esprit CROIT, vous pouvez l'ATTEINDRE »
La chose la plus importante n'est pas où vous êtes ni où vous étiez mais bien OÙ VOUS VOULEZ ALLER.	Les difficultés ne sont pas faites pour abattre mais pour être abattues.
Un lâcheur ne gagne jamais et un VAINQUEUR n'abandonne jamais.	Le seul travail que l'on puisse commencer par en haut, c'est en creusant un trou.

$4.50 + taxe

En vente chez votre libraire ou à la maison d'édition :

Les Éditions «Un Monde Différent» Ltée
1875 Panama, Local B
Brossard, Qué.
J4W 2S8

Comment penser en millionnaire et s'enrichir

Voici les secrets fabuleux des grands richissimes américains — secrets dont vous allez vous servir pour amasser une fortune dont vous n'avez jamais osé rêver jusqu'à présent! Ces techniques puissantes — que les riches se gardent jalousement, sauf lorsqu'elles tombent dans les mains des «petites gens» — vous apporteront toutes les bénédictions les plus précieuses de la vie encore plus vite et plus facilement que vous auriez pu imaginer! Vous avez maintenant à portée de main, étape par étape, les techniques qui vous amèneront à votre premier million de dollars!

En vente chez votre libraire ou à la maison d'édition:

Les Éditions «Un Monde Différent» Ltée
1875 Panama, Local B
Brossard, Qué.
J4W 2S8

$7.50

Achevé d'imprimer
en septembre mil neuf cent quatre-vingt
sur les presses de l'Imprimerie Gagné Ltée
Louiseville - Montréal.
Imprimé au Canada

$43.95